U0119967

中國美術全集

中國美術全集

陶瓷器三

全國百佳圖书出版單位
ARTTIME 時代出版
時代出版傳媒股份有限公司
黄山書社

目　録

瓷器

遼北宋西夏金南宋（公元九一六年至公元一二七九年）

頁碼	名稱	時代	發現地	收藏地
569	吉州窑黑釉雙鳳紋碗	南宋		故宫博物院
569	吉州窑剪紙貼花鳳紋碗	南宋		天津博物館
570	吉州窑黑釉剪紙貼花鸞鳳蛺蝶紋碗	南宋		首都博物館
570	吉州窑纏枝蔓草紋罐	南宋		首都博物館
571	吉州窑瑪瑙釉梅瓶	南宋		故宫博物院
571	吉州窑白地黑花纏枝紋瓶	南宋	江西九江市財經會計學校	江西省九江市博物館
572	吉州窑白地黑花鴛鴦紋瓶	南宋		廣東省博物館
572	吉州窑黑釉剔花梅花紋瓶	南宋		江西省宜春市文物保護管理委員會
573	吉州窑黑釉荷花紋瓶	南宋	安徽巢湖市周鄭村	安徽省博物館
574	吉州窑黑釉剔花梅花紋瓶	南宋	江西吉安市天華山	廣東省博物館
574	廣元窑緑釉條紋壺	南宋		故宫博物院
575	邛崃窑藍緑釉玉壺春瓶	宋		故宫博物院
575	婺州窑青釉堆塑瓶	宋		浙江省博物館
576	琉璃廠窑黄釉魚紋盆	宋		故宫博物院
576	西村窑刻花點彩盤	宋		故宫博物院
577	青白釉刻花嬰戲紋枕	宋		江蘇省揚州博物館
577	黄釉錦紋銀錠枕	宋		故宫博物院
578	烏金釉醬斑碗	宋		故宫博物院
578	緑釉絞胎壺	宋		故宫博物院
579	絞胎罐	宋		吉林省博物院
579	褐彩人物紋瓶	宋	廣東佛山市瀾石墓葬	廣東省博物館

元（公元一二七一年至公元一三六八年）

頁碼	名稱	時代	發現地	收藏地
580	景德鎮窑青花飛鳳紋玉壺春瓶	元	内蒙古庫倫旗	内蒙古博物院
581	景德鎮窑青花蓮池鴛鴦紋玉壺春瓶	元		首都博物館
581	景德鎮窑青花人物紋玉壺春瓶	元	江西上饒市	江西省上饒市博物館
582	景德鎮窑青花人物故事圖玉壺春瓶	元	湖南常德市	湖南省博物館
582	景德鎮窑青花五爪龍紋玉壺春瓶	元	河南滎陽市	河南博物院
583	景德鎮窑青花獅球紋八棱玉壺春瓶	元	河北保定市永華南路元代窑藏	河北省博物館

頁碼	名稱	時代	發現地	收藏地
584	景德鎮窑青花西厢圖梅瓶	元		英國倫敦維多利亞和阿爾伯特國立博物院
584	景德鎮窑青花纏枝牡丹紋梅瓶	元		上海博物館
585	景德鎮窑青花鳳凰草蟲紋八棱梅瓶	元		日本東京松岡美術館
585	景德鎮窑青花纏枝牡丹紋帶蓋梅瓶	元	江西高安市	江西省高安市博物館
586	景德鎮窑青花雲龍紋帶蓋梅瓶	元	江西高安市	江西省高安市博物館
587	景德鎮窑青花海水龍紋八棱帶蓋梅瓶	元	河北保定市永華南路元代窖藏	河北省博物館
588	景德鎮窑青花牡丹紋帶蓋梅瓶	元	江西高安市窖藏	江西省高安市博物館
588	景德鎮窑青花纏枝牡丹紋葫蘆瓶	元		土耳其伊斯坦布爾托布卡博物館
589	景德鎮窑青花花鳥草蟲紋葫蘆瓶	元		土耳其伊斯坦布爾托布卡博物館
590	景德鎮窑青花雲龍紋象耳大瓶	元		英國倫敦大學亞非學院斐西瓦樂・大維德中國美術館
590	景德鎮窑青花蕉葉紋觚	元	江西高安市	中國國家博物館
591	景德鎮窑青花雲龍紋荷葉蓋罐	元	江西高安市	江西省高安市博物館
591	景德鎮窑青花纏枝牡丹紋罐	元		上海博物館
592	景德鎮窑青花纏枝牡丹紋罐	元	内蒙古包頭市燕家梁	内蒙古博物院
592	景德鎮窑青花魚藻紋大罐	元		香港葛氏天民樓基金會
593	景德鎮窑青花騎馬人物紋罐	元		日本東京出光美術館
593	景德鎮窑青花雲龍紋罐	元		山東省博物館
594	景德鎮窑青花牡丹紋蓋罐	元	安徽蚌埠市湯和墓	安徽省博物館
595	景德鎮窑青花雲龍紋獸耳蓋罐	元	江西高安市	江西省高安市博物館
595	景德鎮窑青花開光八棱罐	元		遼寧省博物館
596	景德鎮窑青花釉裏紅開光鏤花大罐	元	河北保定市永華南路元代窖藏	河北省博物館
597	景德鎮窑青花龍紋盤	元	内蒙古林西縣繁榮鄉元墓	内蒙古自治區林西縣文物管理所
597	景德鎮窑青花蓮池紋盤	元	安徽安慶市元代窖藏	安徽省博物館
598	景德鎮窑青花瓜竹葡萄紋盤	元		上海博物館
599	景德鎮窑青花蓮池鴛鴦紋盤	元		故宫博物院
600	景德鎮窑青花藍地白花瓜竹葡萄紋盤	元		上海博物館
600	景德鎮窑青花纏枝蓮花紋大盤	元		香港葛氏天民樓基金會

頁碼	名稱	時代	發現地	收藏地
601	景德鎮窑青花藍地白花蓮池白鷺紋盤	元		土耳其伊斯坦布爾托布卡博物館
602	景德鎮窑青花蓮瓣形盤	元		上海博物館
602	景德鎮窑青花纏枝花卉紋梨形壺	元		遼寧省博物館
603	景德鎮窑青花鳳首扁壺	元	北京西城區舊鼓樓大街元代窖藏	首都博物館
604	景德鎮窑青花雙龍紋扁方壺	元		日本東京出光美術館
604	景德鎮窑青花鸞鳳紋匜	元	甘肅臨洮縣衙下集鎮寺窪山村	甘肅省臨洮縣博物館
605	景德鎮窑青花束蓮捲草紋匜	元		中國國家博物館
605	景德鎮窑青花雙耳三足爐	元		香港葛氏天民樓基金會
606	景德鎮窑青花歲寒三友紋爐	元		故宫博物院
607	景德鎮窑青花詩文高足杯	元	江西高安市	江西省高安市博物館
607	景德鎮窑青花龍紋高足碗	元		遼寧省博物館
608	景德鎮窑青花筆架水盂	元		浙江省杭州市文物研究所
608	景德鎮窑青花船形硯滴	元		廣東省廣州市文物總店
609	景德鎮窑卵白釉“太禧”銘盤	元		英國倫敦維多利亞和阿爾伯特國立博物院
609	景德鎮窑卵白釉印花龍紋盤	元	河北保定市永華南路	河北省博物館
610	景德鎮窑卵白釉堆花加彩描金盤	元		上海博物館
611	景德鎮窑卵白釉碗	元		重慶博物館
611	景德鎮窑卵白釉雙繫三足爐	元	北京朝陽區小紅門張弘綱墓	首都博物館
612	景德鎮窑卵白釉折方執壺	元		上海博物館
612	景德鎮窑卵白釉鏤空折枝花高足杯	元	江蘇揚州市老虎山西路	江蘇省揚州博物館
613	景德鎮窑青白釉玉壺春瓶	元	北京崇文區龍潭湖鐵可墓	首都博物館
614	景德鎮窑青白釉刻蓮紋玉壺春瓶	元		江西省博物館
614	景德鎮窑青白釉梅花紋雙耳瓶	元	重慶上清寺	重慶博物館
615	景德鎮窑青白釉刻牡丹紋雙耳瓶	元	江西貴溪市	江西省博物館
615	景德鎮窑青白釉多棱雙耳瓶	元	江西鄱陽縣	江西省博物館
616	景德鎮窑青白釉刻雲紋花瓶	元	四川廣漢市西外鄉	重慶博物館
616	景德鎮窑青白釉雲龍紋獅鈕蓋梅瓶	元	江西萬年縣元墓	江西省博物館
617	景德鎮窑青白釉淺浮雕八角形瓶	元		英國倫敦維多利亞和阿爾伯特國立博物院
618	景德鎮窑青白釉堆梅紋帶座瓶	元	江西萬年縣	江西省博物館
618	景德鎮窑青白釉暗花執壺	元		江蘇省蘇州博物館

頁碼	名稱	時代	發現地	收藏地
619	景德鎮窑青白釉僧帽壺	元	北京海淀區	首都博物館
620	景德鎮窑青白釉多穆壺	元	北京崇文區元墓	首都博物館
620	景德鎮窑青白釉刻牡丹紋雙耳扁壺	元	北京安定門外元大都遺址	首都博物館
621	景德鎮窑青白釉雲龍紋罐	元	浙江杭州市	浙江省杭州市文物研究所
621	景德鎮窑青白釉獸鈕蓋罐	元	内蒙古翁牛特旗廣德公鄉老虎洞元墓	内蒙古自治區赤峰市博物館
622	景德鎮窑青白釉印花雲龍紋盤	元	江西永新縣	江西省博物館
622	景德鎮窑青白釉印龍紋花口盞	元	河北保定市永華南路	河北省博物館
623	景德鎮窑青白釉蟠龍紋水注	元		重慶博物館
623	景德鎮窑青白釉匜	元	北京昌平區元墓	首都博物館
624	景德鎮窑青白釉乳釘刻蓮紋三足爐	元	北京安定門外元大都遺址	首都博物館
624	景德鎮窑青白釉仿定窑螭紋洗	元		故宫博物院
625	景德鎮窑青白釉獅尊	元		上海博物館
626	景德鎮窑青白釉饕餮紋雙耳三足爐	元	北京安定門外元大都遺址	首都博物館
626	景德鎮窑青白釉筆架	元	北京新街口元大都遺址	首都博物館
627	景德鎮窑青白釉透雕殿堂人物枕	元	安徽岳西縣	安徽省岳西縣文物管理所
627	景德鎮窑青白釉透雕廣寒宫枕	元		山西省大同市博物館
628	景德鎮窑青白釉堆塑瓶	元	江西南昌市	江西省博物館
629	景德鎮窑釉裏紅雲鳳紋玉壺春瓶	元	江西樂平市	江西省博物館
629	景德鎮窑釉裏紅纏枝蓮紋玉壺春瓶	元	江西樂平市	江西省博物館
630	景德鎮窑釉裏紅花草紋玉壺春瓶	元	内蒙古翁牛特旗	内蒙古自治區翁牛特旗文物管理所
630	景德鎮窑釉裏紅纏枝菊紋玉壺春瓶	元		中國國家博物館
631	景德鎮窑釉裏紅歲寒三友玉壺春瓶	元		故宫博物院
631	景德鎮窑釉裏紅鳳紋梅瓶	元		日本奈良大和文華館
632	景德鎮窑釉裏紅歲寒三友帶蓋梅瓶	元	江蘇南京市江寧區孫家山	南京博物院
633	景德鎮窑釉裏紅龍雲紋蓋罐	元	江蘇蘇州市通安華山	江蘇省蘇州博物館
633	景德鎮窑釉裏紅開光花鳥紋罐	元	江西高安市	江西省高安市博物館
634	景德鎮窑釉裏紅松竹梅紋罐	元		天津博物館
635	景德鎮窑釉里紅纏枝牡丹紋碗	元		中國國家博物館
636	景德鎮窑釉裏紅折枝菊紋高足轉杯	元	江西高安市	江西省高安市博物館
636	景德鎮窑釉裏紅堆貼蟠螭紋高足轉杯	元	江西高安市	江西省高安市博物館
637	景德鎮窑釉裏紅高足杯	元	甘肅漳縣汪世顯家族墓	甘肅省博物館
637	景德鎮窑釉裏紅雁銜蘆紋匜	元	江西高安市	江西省高安市博物館

頁碼	名稱	時代	發現地	收藏地
638	景德鎮窑青花釉裏紅塔式蓋罐	元		江西省博物館
639	景德鎮窑青花釉裏紅堆塑樓閣式穀倉	元	江西景德鎮市	江西省博物館
640	景德鎮窑霽藍釉白龍紋梅瓶	元		江蘇省揚州博物館
641	景德鎮窑霽藍釉白龍盤	元		故宫博物院
641	景德鎮窑藍釉爵杯	元	安徽歙縣	安徽省歙縣博物館
642	景德鎮窑紅釉印花龍紋盤	元		故宫博物院
642	景德鎮窑紅釉刻花雲龍紋梨形壺	元		故宫博物院
643	景德鎮窑紅釉印花雲龍紋高足碗	元		故宫博物院
643	磁州窑白釉黑花玉壺春瓶	元	河北邯鄲縣西天池村	河北省邯鄲市文物保護研究所
644	磁州窑白地黑花鳳紋罐	元	北京房山區良鄉元代窖藏	首都博物館
645	磁州窑白地黑花嬰戲圖罐	元	遼寧綏中縣海城	中國國家博物館
645	磁州窑剔花鳳紋罐	元	内蒙古察哈爾右翼前旗	内蒙古博物院
646	磁州窑白地褐彩龍鳳紋罐	元	河北邯鄲市峰峰礦區彭城	河北省邯鄲市博物館
647	磁州窑白釉褐彩雙鳳紋罐	元	江蘇揚州市漕河岸	江蘇省揚州博物館
647	磁州窑白地黑花開光人物花卉紋罐	元		上海博物館
648	磁州窑白地褐彩四繫龍鳳紋大罐	元	内蒙古武川縣	内蒙古博物院
649	磁州窑白地黑花龍鳳紋扁瓶	元	北京安定門外元大都遺址	首都博物館
650	磁州窑白釉黑花飛鷹逐兔長方枕	元	河北磁縣南關興仁街墓葬	河北省磁縣文物保管所
650	磁州窑白釉黑花人物故事圖長方枕	元	河北磁縣	河北省磁縣文物保管所
651	磁州窑孔雀緑釉黑花人物紋梅瓶	元		江蘇省揚州市文物商店
651	鈞窑天藍釉方瓶	元		上海博物館
652	鈞窑天藍釉貼花獸面紋雙螭耳連座瓶	元	内蒙古呼和浩特市白塔村古城遺址	中國國家博物館
652	鈞窑天藍釉貼花獸面紋雙螭耳連座瓶	元	北京新街口後桃園元大都遺址	首都博物館
653	鈞窑天青釉香爐	元	内蒙古呼和浩特市白塔村	内蒙古博物院
654	鈞釉貼花雙耳三足爐	元		故宫博物院
654	鈞窑天青釉花口盤	元		内蒙古自治區赤峰市博物館
655	鈞窑紫斑大盆	元	河北保定市	河北省博物館
655	龍泉窑青釉刻花牡丹紋執壺	元		上海博物館
656	龍泉窑青釉纏枝牡丹紋瓶	元	内蒙古呼和浩特市白塔村	内蒙古博物院
656	龍泉窑青釉纏枝蓮紋瓶	元	内蒙古呼和浩特市白塔村	内蒙古博物院
657	龍泉窑青釉玉壺春瓶	元	浙江泰順縣新浦鄉元代窖藏	浙江省泰順縣博物館

頁碼	名稱	時代	發現地	收藏地
657	龍泉窑青釉褐斑玉壺春瓶	元		日本大阪市立東洋陶瓷美術館
658	龍泉窑青釉玉壺春瓶	元	安徽合肥市陳聞墓	安徽省博物館
658	龍泉窑青釉印花海水雲龍紋瓶	元	北京海淀區元墓	首都博物館
659	龍泉窑青釉鏤空纏枝花卉紋瓶	元		上海博物館
660	龍泉窑青釉刻花清香美酒瓶	元		英國倫敦維多利亞和阿爾伯特國立博物院
660	龍泉窑青釉葫蘆形瓶	元	浙江青田縣百貨公司工地元代窑藏	浙江省青田縣文物管理委員會
661	龍泉窑青釉葫蘆瓶	元		上海博物館
661	龍泉窑青釉貼花葫蘆瓶	元		山西省大同市博物館
662	龍泉窑青釉尊式瓶	元		浙江省博物館
662	龍泉窑青釉褐斑環耳瓶	元		上海博物館
663	龍泉窑青釉模印龍鳳紋雙耳瓶	元	北京昌平區劉通墓	首都博物館
664	龍泉窑青釉雙環耳瓶	元		浙江省博物館
664	龍泉窑青釉雙鳳耳瓶	元		浙江省博物館
665	龍泉窑青釉帶座長頸瓶	元	浙江青田縣百貨公司工地元代窑藏	浙江省青田縣文物管理委員會
665	龍泉窑青釉連座琮式瓶	元	浙江龍泉市道太鄉供村	浙江省龍泉市博物館
666	龍泉窑青釉暗花菱花口盤	元	江蘇金壇市	江蘇省鎮江博物館
666	龍泉窑青釉刻雙魚紋盤	元		土耳其伊斯坦布爾托布
667	龍泉窑青釉貼花雲鳳紋盤	元		上海博物館
668	龍泉窑青釉貼印雲龍紋洗	元		英國倫敦大學亞非學院斐西瓦樂·大維德中國美術館
668	龍泉窑青釉雙魚紋洗	元		上海博物館
669	龍泉窑青釉印花雙魚紋八角碗	元		廣東省博物館
670	龍泉窑青釉荷葉蓋罐	元	江蘇溧水縣	江蘇省溧水縣博物館
670	龍泉窑豆青釉條紋荷葉蓋罐	元	江西南昌市	江西省博物館
671	龍泉窑青釉龍鳳紋荷葉蓋罐	元	上海南匯區	上海博物館
672	龍泉窑青釉匜	元	浙江泰順縣南浦村窖藏	浙江省泰順縣博物館
672	龍泉窑青釉鼓釘爐	元		浙江省龍泉市博物館
673	龍泉窑青釉三足爐	元	內蒙古察哈爾右翼前旗	內蒙古博物院

頁碼	名稱	時代	發現地	收藏地
673	吉州窑彩繪蓮荷雙魚紋盆	元	江西吉安市吉州窑址	江西省博物館
674	吉州窑彩繪波濤紋爐	元	江西新干縣	江西省博物館
675	吉州窑花釉圓圈紋梅瓶	元	江西永新縣禾川鎮元代窑藏	江西省博物館
675	吉州窑黑彩繪花雲紋瓶	元	江西樟樹市	江西省樟樹市博物館
676	吉州窑黑花雙魚耳瓶	元		英國倫敦大英博物館
677	吉州窑白地黑花捲草紋瓶	元		英國倫敦維多利亞和阿爾伯特國立博物院
677	金溪窑青釉刻花牡丹蕉葉紋瓶	元	江西撫州市	江西省博物館
678	海康窑褐彩鳳鳥紋荷葉蓋罐	元		廣東省博物館
678	黑釉褐彩玉壺春瓶	元		上海博物館
679	黑釉褐彩花卉紋瓶	元		上海博物館
679	藍釉描金匜	元	河北保定市永華路	故宮博物院

明（公元一三六八年至公元一六四四年）

頁碼	名稱	時代	發現地	收藏地
680	青花雲龍紋梅瓶	明・洪武		上海博物院
681	青花纏枝蓮紋玉壺春瓶	明・洪武		故宮博物院
681	青花花卉紋執壺	明・洪武		故宮博物院
682	青花纏枝花紋碗	明・洪武		故宮博物院
682	青花纏枝花卉紋碗	明・洪武		英國倫敦大英博物館
683	青花雲龍暗龍紋盤	明・洪武		故宮博物院
683	青花牡丹四季花卉紋盤	明・洪武		故宮博物院
684	青花八出開光牡丹紋菱花口盤	明・洪武	江西景德鎮市珠山	江西省景德鎮市陶瓷考古研究所
684	青花竹石靈芝紋盤	明・洪武		故宮博物院
685	青花錦地垂雲蓮紋盤	明・洪武	江西景德鎮市珠山	江西省景德鎮市陶瓷考古研究所
686	釉裏紅歲寒三友圖梅瓶	明・洪武	江蘇南京市江寧區	南京博物院
687	釉裏紅雲龍紋環耳瓶	明・洪武		上海博物館
688	釉裏紅松竹梅紋玉壺春瓶	明・洪武		故宮博物院
688	釉裏紅纏枝牡丹紋執壺	明・洪武		故宮博物院
689	釉裏紅纏枝菊紋大碗	明・洪武		上海博物館

頁碼	名稱	時代	發現地	收藏地
689	釉裏紅菊花紋盤	明・洪武		故宫博物院
690	釉裏紅折枝花卉紋菱花口盤	明・洪武		江西省景德鎮陶瓷歷史博物館
691	釉裏紅四季花卉紋蓋罐	明・洪武		首都博物館
692	釉裏紅四季花卉紋罐	明・洪武		上海博物館
693	青花竹石芭蕉紋帶蓋梅瓶	明・永樂		故宫博物院
694	青花“内府”銘帶蓋梅瓶	明・永樂		日本大阪市立東洋陶瓷美術館
694	青花桃竹紋梅瓶	明・永樂		故宫博物院
695	青花竹石芭蕉紋玉壺春瓶	明・永樂		故宫博物院
696	青花海水白龍紋天球瓶	明・永樂		土耳其伊斯坦布爾托布卡博物館
697	青花花草紋雙耳扁瓶	明・永樂		土耳其伊斯坦布爾托布卡博物館
698	青花纏枝花紋雙耳扁瓶	明・永樂		河北省承德市避暑山莊博物館
698	青花纏枝花紋雙耳扁瓶	明・永樂		故宫博物院
699	青花錦紋雙耳扁瓶	明・永樂		故宫博物院
700	青花錦地花卉紋壯罐	明・永樂		故宫博物院
701	青花纏枝蓮紋藏草壺	明・永樂		故宫博物院
701	青花折枝花紋執壺	明・永樂		故宫博物院
702	青花折枝花果紋執壺	明・永樂		故宫博物院
703	青花纏枝紋雙繫扁壺	明・永樂		故宫博物院
703	青花纏枝蓮紋雙環耳扁壺	明・永樂		故宫博物院
704	青花纏枝蓮紋壓手杯	明・永樂		故宫博物院
704	青花纏枝牡丹紋碗	明・永樂		故宫博物院
705	青花纏枝蓮紋碗	明・永樂		故宫博物院
705	青花金彩蓮紋碗	明・永樂		故宫博物院
706	青花葡萄靈芝紋高足碗	明・永樂		故宫博物院
706	青花園景花卉紋盤	明・永樂		故宫博物院
707	青花枇杷果綬帶鳥紋盤	明・永樂		日本大阪市立東洋陶瓷美術館
708	青花葡萄紋盤	明・永樂		首都博物館
709	青花折枝瓜果紋盤	明・永樂		故宫博物院
709	青花纏枝蓮紋折沿盆	明・永樂		故宫博物院
710	青花阿拉伯文無擋尊	明・永樂		故宫博物院
710	青花雲龍紋洗	明・永樂		首都博物館
711	青花海水江牙紋三足爐	明・永樂		故宫博物院
712	青花蓮蓬漏斗	明・永樂		中國國家博物館
712	青花纏枝蓮紋八角燭臺	明・永樂		故宫博物院

頁碼	名稱	時代	發現地	收藏地
713	青花勾連紋八角燭臺	明・永樂		上海博物館
714	白釉暗花龍紋梨形壺	明・永樂	北京西城區新街口外	首都博物館
714	白釉僧帽壺	明・永樂		故宮博物院
715	白釉暗花纏枝蓮紋碗	明・永樂		江蘇省常熟博物館
715	白釉四繫罐	明・永樂		故宮博物院
716	白釉暗花紋梅瓶	明・永樂		故宮博物院
716	白釉三壺連通器	明・永樂	江西景德鎮市珠山明御廠遺址	江西省景德鎮市陶瓷考古研究所
717	青白釉暗花纏枝蓮紋碗	明・永樂		故宮博物院
717	青釉高足碗	明・永樂		故宮博物院
718	青釉三足爐	明・永樂	北京昌平區	首都博物館
718	翠青釉碗	明・永樂	湖北武漢市龍泉山明楚昭王墓	湖北省武漢市博物館
719	翠青釉三繫蓋罐	明・永樂		故宮博物院
719	紅釉暗龍紋高足碗	明・永樂		故宮博物院
720	紅釉暗花龍紋盤	明・永樂		上海博物館
721	青花纏枝花卉紋梅瓶	明・宣德		故宮博物院
722	青花纏枝四季花紋玉壺春瓶	明・宣德		故宮博物院
722	青花牽牛花紋委角瓶	明・宣德		故宮博物院
723	青花纏枝花紋貫耳瓶	明・宣德		故宮博物院
723	青花纏枝蓮紋瓶	明・宣德		故宮博物院
724	青花雲龍紋天球瓶	明・宣德		故宮博物院
725	青花纏枝花紋天球瓶	明・宣德		故宮博物院
725	青花海水白龍紋扁瓶	明・宣德		故宮博物院
726	青花雲龍紋扁瓶	明・宣德		故宮博物院
727	青花纏枝牡丹紋扁瓶	明・宣德		英國倫敦大英博物館
727	青花折枝茶花紋雙耳扁瓶	明・宣德		故宮博物院
728	青花寶相花紋雙耳扁瓶	明・宣德		故宮博物院
729	青花夔龍紋罐	明・宣德		故宮博物院
729	青花纏枝蓮紋蓋罐	明・宣德		故宮博物院
730	青花纏枝蓮紋蓋罐	明・宣德		故宮博物院
731	青花雲龍紋蓋罐	明・宣德		首都博物館
731	青花藍查文出戟蓋罐	明・宣德		故宮博物院
732	青花海水蕉葉紋渣斗	明・宣德		故宮博物院
733	青花龍蓮紋渣斗	明・宣德		故宮博物院

頁碼	名稱	時代	發現地	收藏地
733	青花雙鳳紋長方爐	明・宣德		故宫博物院
734	青花纏枝花紋花澆	明・宣德		故宫博物院
734	青花捲草紋魚簍尊	明・宣德		首都博物館
735	青花靈芝紋尊	明・宣德	北京海淀區上莊	首都博物館
735	青花折枝花紋帶蓋執壺	明・宣德		故宫博物院
736	青花纏枝花卉紋執壺	明・宣德		上海博物館
737	青花折枝花果紋執壺	明・宣德		故宫博物院
738	青花纏枝蓮紋茶壺	明・宣德		故宫博物院
738	青花雲龍紋瓜棱梨式壺	明・宣德		故宫博物院
739	青花纏枝花紋豆	明・宣德		故宫博物院
739	青花雲龍紋鉢	明・宣德		故宫博物院
740	青花雲龍紋碗	明・宣德		首都博物館
740	青花纏枝蓮紋碗	明・宣德		故宫博物院
741	青花纏枝靈芝紋大碗	明・宣德		故宫博物院
741	青花人物紋碗	明・宣德		故宫博物院
742	青花折枝花卉紋合碗	明・宣德		故宫博物院
742	青花折枝花果紋葵口碗	明・宣德		上海博物館
743	青花八吉祥纏枝蓮花紋高足碗	明・宣德	北京白紙坊明墓	首都博物館
743	青花人物紋高足碗	明・宣德		故宫博物院
744	青花纏枝花卉紋高足碗	明・宣德		故宫博物院
744	青花海水龍紋高足碗	明・宣德		故宫博物院
745	青地白雲龍紋高足碗	明・宣德		故宫博物院
746	青花纏枝紋高足杯	明・宣德		故宫博物院
746	青花紅彩海獸紋高足杯	明・宣德		上海博物館
747	青花紅彩龍紋碗	明・宣德		故宫博物院
748	青花魚藻紋盤	明・宣德		故宫博物院
748	青花花卉紋菱花口盤	明・宣德		故宫博物院
749	青花白龍紋盤	明・宣德		上海博物館
749	青花折枝花紋菱花式花盆	明・宣德		故宫博物院
750	青花雙鳳紋葵瓣式洗	明・宣德		故宫博物院
751	青花紅彩海濤龍紋盤	明・宣德		故宫博物院
751	釉裏紅三魚紋高足碗	明・宣德		上海博物館
752	釉裏紅海獸紋碗	明・宣德	江西景德鎮市珠山	江西省景德鎮市陶瓷考古研究所
752	礬紅彩八寶紋三足爐	明・宣德	河北廊坊市西固城	河北省博物館

頁碼	名稱	時代	發現地	收藏地
753	白釉醬彩花果紋盤	明・宣德		首都博物館
753	白釉鷄心碗	明・宣德		江蘇省常州博物館
754	白釉暗花高足碗	明・宣德		故宫博物院
754	豆青釉暗花紋盤	明・宣德		天津博物館
755	仿龍泉窑青釉盤	明・宣德		故宫博物院
755	紅釉盤	明・宣德		中國國家博物館
756	紅釉金彩雲龍紋盤	明・宣德		故宫博物院
756	紅釉描金雲龍紋碗	明・宣德		故宫博物院
757	紅釉僧帽壺	明・宣德		故宫博物院
757	紅釉菱花式洗	明・宣德		故宫博物院
758	霽藍釉盤	明・宣德		天津博物館
758	藍釉白花龍紋渣斗	明・宣德		上海博物館
759	藍釉白花牡丹紋盤	明・宣德		日本大阪市立東洋陶瓷美術館
760	藍地白花盤	明・宣德		廣東省博物館
760	藍釉白花魚蓮紋盤	明・宣德		故宫博物院
761	灑藍釉鉢	明・宣德		首都博物館
761	醬釉盤	明・宣德		故宫博物院
762	仿哥釉菊瓣紋碗	明・宣德		故宫博物院
762	青花纏枝蓮托八寶紋罐	明・正統		故宫博物院
763	青花人物紋罐	明・正統		北京藝術博物館
764	青花人物故事紋梅瓶	明・正統		天津博物館
764	豆青釉獅座燭臺	明・正統	江西永修縣魏源墓	江西省博物館
765	青花古錢紋碗	明・景泰		江蘇省常州博物館
765	青花訪賢圖罐	明・天順		北京藝術博物館
766	青花人物紋罐	明・天順	北京海淀區學院路	首都博物館
767	青花蓮荷紋大碗	明・天順		故宫博物院
767	青花山石牡丹紋碗	明・成化		故宫博物院
768	青花人物紋碗	明・成化		江蘇省蘇州市文物商店
768	青花夔龍紋碗	明・成化		上海博物館
769	青花折枝花卉紋高足杯	明・成化		首都博物館
769	青花纏枝蓮托八寶紋鼓釘爐	明・成化		故宫博物院
770	青花群仙祝壽圖罐	明・成化		北京藝術博物館
771	青花山石花卉紋蓋罐	明・成化		故宫博物院
771	青花折枝花紋瓜棱瓶	明・成化		故宫博物院

頁碼	名稱	時代	發現地	收藏地
772	青花麒麟紋盤	明・成化		故宮博物院
772	青花蓮魚紋孔雀緑釉盤	明・成化		上海博物館
773	鬥彩海馬紋罐	明・成化		故宮博物院
773	鬥彩海獸紋罐	明・成化		故宮博物院
774	鬥彩龍穿瓜藤紋罐	明・成化		日本東京國立博物館
775	鬥彩海水龍紋蓋罐	明・成化		故宮博物院
775	鬥彩纏枝蓮紋蓋罐	明・成化		故宮博物院
776	鬥彩蓮花紋蓋罐	明・成化		故宮博物院
777	鬥彩花蝶紋蓋罐	明・成化		故宮博物院
777	鬥彩鷄缸杯	明・成化		故宮博物院
778	鬥彩葡萄紋杯	明・成化	北京新街口外清墓	首都博物館
778	鬥彩高士紋杯	明・成化		故宮博物院
779	鬥彩花鳥紋高足杯	明・成化		故宮博物院
779	鬥彩纏枝蓮紋高足杯	明・成化		故宮博物院
780	鬥彩折枝花紋淺碗	明・成化		故宮博物院
780	鬥彩鴛鴦卧蓮紋碗	明・成化		故宮博物院
781	五彩人物紋梅瓶	明・成化		廣東省博物館
781	五彩纏枝牡丹紋罐	明・成化		故宮博物院
782	白釉緑彩龍紋盤	明・成化		英國倫敦大學亞非學院斐西瓦樂・大維德中國美術館
782	白釉碗	明・成化		廣東省博物館
783	黄釉盤	明・成化		故宮博物院
783	紅釉盤	明・成化		故宮博物院
784	孔雀緑釉蓮魚紋盤	明・成化		上海博物館
785	紅地緑彩靈芝紋三足爐	明・成化	江西景德鎮市珠山明御窑遺址	江西省景德鎮市陶瓷考古研究所
786	仿哥釉杯	明・成化		故宮博物院
786	仿哥釉八方高足杯	明・成化		故宮博物院
787	仿哥釉雙耳瓶	明・成化		故宮博物院
787	青花團花紋蒜頭瓶	明・弘治	湖北武漢市江夏區流芳嶺	湖北省武漢市江夏區博物館
788	青花人物樓閣蓋罐	明・弘治	北京朝陽區八里莊	首都博物館
788	青花荷蓮龍紋碗	明・弘治		故宮博物院
789	青花緑彩龍紋碗	明・弘治		首都博物館
789	青花折枝葡萄紋碗	明・弘治		故宮博物院
790	黄釉青花折枝花果紋盤	明・弘治		故宮博物院

頁碼	名稱	時代	發現地	收藏地
791	白釉紅彩雲龍紋盤	明・弘治		故宫博物院
791	白釉暗花紋高足碗	明・弘治		天津博物館
792	白釉獸紋鼎	明・弘治	山東兖州市明鉅野郡王朱陽鑋墓	山東省兖州市博物館
792	黄釉盤	明・弘治		上海博物館
793	黄釉描金雙獸耳罐	明・弘治		故宫博物院
793	黄釉描金綬帶耳尊	明・弘治		南京博物院
794	青花仙人故事紋葫蘆瓶	明・正德		天津博物館
795	青花波斯文罐	明・正德		首都博物館
795	青花纏枝花卉紋出戟尊	明・正德		故宫博物院
796	青花龍紋尊	明・正德		故宫博物院
796	青花蓮龍紋高足碗	明・正德		山東省青島市博物館
797	青花纏枝蓮龍紋碗	明・正德		上海博物館
798	青花纏枝牡丹紋碗	明・正德		江蘇省常熟博物館
798	青花嬰戲紋碗	明・正德		天津博物館
799	青花穿花龍紋盤	明・正德		首都博物館
799	青花波斯文筆架	明・正德		首都博物館
800	青花阿拉伯文燭臺	明・正德		故宫博物院
800	青花人物紋套盒	明・正德		故宫博物院
801	青花雙獅紋綉墩	明・正德		首都博物館
802	青花紅緑彩雲龍紋碗	明・正德		故宫博物院
802	青花紅龍紋碗	明・正德		故宫博物院
803	青花紅彩海獸紋碗	明・正德		上海博物館
803	黄釉青花花果紋盤	明・正德		首都博物館
804	五彩桃花雙禽紋盤	明・正德		故宫博物院
804	五彩八仙紋香筒	明・正德		故宫博物院
805	白釉刻填緑彩龍紋碗	明・正德		天津博物館
805	素三彩高足碗	明・正德		故宫博物院
806	素三彩海水蟾紋三足洗	明・正德		故宫博物院
806	紅釉白魚紋盤	明・正德		故宫博物院
807	青釉劃花纏枝花卉紋碗	明・正德		上海博物館
807	黄釉碗	明・正德		故宫博物院
808	青花串枝番蓮紋梅瓶	明・嘉靖	北京昌平區明定陵	北京市定陵博物館
808	青花龍鳳紋雙環耳瓶	明・嘉靖		故宫博物院
809	青花朵花紋象耳瓶	明・嘉靖	北京通州區明墓	首都博物館

頁碼	名稱	時代	發現地	收藏地
810	青花纏枝蓮紋葫蘆瓶	明・嘉靖	江西南昌市	江西省博物館
810	青花八仙雲鶴紋葫蘆瓶	明・嘉靖		中國國家博物館
811	青花魚藻紋出戟尊	明・嘉靖		故宮博物院
812	青花瓔珞纏枝蓮紋罐	明・嘉靖		故宮博物院
812	青花神獸龍紋罐	明・嘉靖	江西南城縣明益莊王朱厚燁墓	江西省博物館
813	青花嬰戲紋蓋罐	明・嘉靖	北京朝陽區窪里	首都博物館
813	青花壽字蓋罐	明・嘉靖		故宮博物院
814	青花群仙慶壽紋蓋罐	明・嘉靖	北京海淀區百萬莊	首都博物館
815	青花松竹梅三羊紋碗	明・嘉靖		上海博物館
815	青花地白龍紋碗	明・嘉靖		河北省承德市避暑山莊博物館
816	青花龍紋盤	明・嘉靖	江西南城縣明益莊王朱厚燁墓	江西省博物館
817	青花鸞鳳穿花紋大盤	明・嘉靖		南京博物院
817	青花雲鶴紋盤	明・嘉靖	北京朝陽區南磨房	首都博物館
818	青花穿花龍紋缸	明・嘉靖		北京大學賽克勒考古與藝術博物館
818	青花紅彩海水龍紋碗	明・嘉靖		故宮博物院
819	青花紅彩魚藻紋蓋罐	明・嘉靖	北京西城區郝家灣	首都博物館
820	釉裏紅凸雕蟠螭紋蒜頭瓶	明・嘉靖		故宮博物院
821	鬥彩八卦紋三足爐	明・嘉靖	北京海淀區清墓	首都博物館
821	鬥彩嬰戲紋杯	明・嘉靖		故宮博物院
822	五彩鳳穿花紋梅瓶	明・嘉靖		故宮博物院
822	五彩纏枝花紋梅瓶	明・嘉靖		故宮博物院
823	五彩團龍紋罐	明・嘉靖		上海博物館
823	五彩雲鶴紋罐	明・嘉靖		故宮博物院
824	五彩魚藻紋蓋罐	明・嘉靖	北京朝陽區	中國國家博物館
825	五彩海馬紋蓋罐	明・嘉靖		故宮博物院
825	五彩人物圖蓋罐	明・嘉靖		北京藝術博物館
826	五彩鳳凰形水注	明・嘉靖		土耳其伊斯坦布爾托布卡博物館
827	五彩開光嬰戲紋方斗杯	明・嘉靖		故宮博物院
827	五彩龍紋方斗杯	明・嘉靖		上海博物館
828	五彩纏枝菊花紋碗	明・嘉靖		日本東京國立博物館
828	五彩纏枝蓮紋碗	明・嘉靖		故宮博物院

頁碼	名稱	時代	發現地	收藏地
829	五彩龍紋盤	明・嘉靖	北京朝陽區	首都博物館
829	紅綠彩雲龍紋蓋罐	明・嘉靖		故宮博物院
830	紅綠彩纏枝蓮紋瓶	明・嘉靖		上海博物館
831	礬紅地金彩孔雀牡丹紋執壺	明・嘉靖		土耳其伊斯坦布爾托布卡博物館
832	礬紅地描金花鳥紋執壺	明・嘉靖		上海博物館
832	礬紅地金彩花卉紋執壺	明・嘉靖		上海博物館
833	礬紅地金彩透雕花鳥紋執壺	明・嘉靖		日本東京五島美術館
833	黃釉青花葫蘆瓶	明・嘉靖		山東省泰安市博物館
834	黃釉紅彩纏枝蓮紋葫蘆瓶	明・嘉靖		故宮博物院
835	黃釉紅彩雲龍紋罐	明・嘉靖		日本大阪市立東洋陶瓷美術館
836	黃釉綠彩碗	明・嘉靖		故宮博物院
836	黃釉綠彩人物紋碗	明・嘉靖		日本東京國立博物館
837	素三彩龍紋綉墩	明・嘉靖		故宮博物院
838	綠地金彩牡丹紋碗	明・嘉靖		土耳其伊斯坦布爾托布卡博物館
838	黃釉暗花鳳紋罐	明・嘉靖		故宮博物院
839	回青釉盤	明・嘉靖		首都博物館
839	霽藍釉碗	明・嘉靖		故宮博物院
840	外冬青内回青釉劃花雲龍紋碗	明・嘉靖		故宮博物院
840	藍釉堆花三足爐	明・嘉靖		廣東省博物館
841	綠釉碗	明・嘉靖		故宮博物院
841	礬紅釉梨形壺	明・嘉靖		故宮博物院
842	醬釉碗	明・嘉靖		故宮博物院
842	青花團龍紋提梁壺	明・隆慶		故宮博物院
843	青花雲龍紋盤	明・隆慶	北京安定門外	首都博物館
843	青花魚藻紋盤	明・隆慶	北京	首都博物館
844	青花嫦娥奔月紋八角盤	明・隆慶		廣東省博物館
844	青花仕女撫嬰圖長方盒	明・隆慶		天津博物館
845	青花黃地龍戲珠紋碗	明・隆慶		南京博物院
845	青花嬰戲蓮紋碗	明・隆慶		故宮博物院
846	五彩蓮池水鳥紋缸	明・隆慶		日本東京島山紀念館
847	青花纏枝番蓮紋梅瓶	明・萬曆	北京西郊董四墓村	首都博物館
848	青花人物紋蓋瓶	明・萬曆	廣西桂林市靖江十一代王莫夫人墓	廣西壯族自治區桂林博物館
848	青花魚藻紋蒜頭瓶	明・萬曆		故宮博物院

頁碼	名稱	時代	發現地	收藏地
849	青花花卉紋活環瓶	明・萬曆		南京博物院
849	青花鳳獸穿牡丹紋葫蘆瓶	明・萬曆		首都博物館
850	青花异獸紋葵瓣式觚	明・萬曆		故宫博物院
850	青花龍鳳紋出戟尊	明・萬曆		故宫博物院
851	青花蓮花雜寶紋蓋罐	明・萬曆		貴州省博物館
852	青花仕女紋碗	明・萬曆		故宫博物院
852	青花花草紋蓮花形碗	明・萬曆		日本東京國立博物館
853	青花地白花果紋盤	明・萬曆		故宫博物院
854	青花海水异獸紋盤	明・萬曆		故宫博物院
854	青花菱口花鳥紋盤	明・萬曆	江西南城縣明益宣王朱翊釗墓	江西省博物館
855	青花蛙紋盤	明・萬曆		江西省博物館
856	青花蓮瓣形梵文盤	明・萬曆		首都博物館
856	青花錦地開光折枝花紋套盒	明・萬曆		故宫博物院
857	青花雲鳳紋缸	明・萬曆		首都博物館
857	鬥彩八寶紋碗	明・萬曆		故宫博物院
858	五彩鏤空雲鳳紋瓶	明・萬曆		故宫博物院
859	五彩鴛鴦蓮花紋蒜頭瓶	明・萬曆		故宫博物院
859	五彩鳳紋葫蘆形壁瓶	明・萬曆		天津博物館
860	五彩龍鳳紋觚	明・萬曆		日本東京出光美術館
860	五彩雲龍花鳥紋花觚	明・萬曆		故宫博物院
861	五彩雲龍紋觚	明・萬曆		故宫博物院
862	五彩雲龍紋蓋罐	明・萬曆		上海博物館
862	五彩龍鳳提梁壺	明・萬曆		上海博物館
863	五彩獸面紋鼎	明・萬曆	陝西綏德縣清墓	陝西省歷史博物館
864	五彩龍穿花紋盤	明・萬曆		故宫博物院
865	五彩龍鳳紋盤	明・萬曆		故宫博物院
865	五彩五穀豐登圖盤	明・萬曆		故宫博物院
866	五彩亭臺人物紋盤	明・萬曆		故宫博物院
866	五彩仙人祝壽圖盤	明・萬曆		故宫博物院
867	五彩牡丹紋盤	明・萬曆		日本大阪市立東洋陶瓷美術館
868	五彩蓮花紋蓋盒	明・萬曆		上海博物館
868	五彩龍鳳紋筆盒	明・萬曆		上海博物館
869	五彩花鳥紋折沿盆	明・萬曆	北京新街口外小西天清墓	首都博物館

頁碼	名稱	時代	發現地	收藏地
869	五彩龍鳳紋折沿盆	明・萬曆		日本東京國立博物館
870	五彩人物紋折沿盆	明・萬曆	北京朝陽區大屯	首都博物館
870	五彩雙龍紋水丞	明・萬曆		故宮博物院
871	五彩鳳穿花紋軍持	明・萬曆		故宮博物院
871	黄釉緑彩雲龍紋蓋罐	明・萬曆		故宮博物院
872	黄釉紫彩人物花卉紋尊	明・萬曆	北京昌平區明定陵	北京市定陵博物館
873	黄釉紫緑彩雙龍紋盤	明・萬曆		上海博物館
873	黄釉紫彩雙耳三足爐	明・萬曆	北京昌平區明定陵	北京市定陵博物館
874	黄釉紫緑彩龍紋綉墩	明・萬曆		上海博物館
875	霽藍釉白龍紋三足爐	明・萬曆	故宮博物院	
875	茄皮紫釉暗龍紋碗	明・萬曆		故宮博物院
876	白釉饕餮紋觶	明・萬曆		上海博物館
876	青花花卉紋出戟觚	明・天啓		故宮博物院
877	青花蓮池圖八方蓋罐	明・天啓		首都博物館
877	青花郊游圖瓶	明・崇禎		首都博物館
878	青花五老圖罐	明・崇禎		北京藝術博物館
879	青花人物紋净水碗	明・崇禎		中國國家博物館
879	青花松竹梅花鳥紋小缸	明・崇禎		故宮博物院
880	素三彩龍鳳牡丹紋碗	明・崇禎		故宮博物院
881	五彩雲龍紋盤	明・崇禎		上海博物館
881	紅緑彩牡丹紋罐	明・崇禎		日本東京國立博物館
882	德化窑白釉刻玉蘭紋尊	明・崇禎		故宮博物院
882	德化窑白釉象耳弦紋尊	明・崇禎		故宮博物院
883	德化窑白釉凸花出戟鼎式爐	明・崇禎		故宮博物院
883	德化窑白釉螭耳三足爐	明・崇禎		故宮博物院
884	德化窑白釉雙螭壺	明・崇禎		上海博物館
885	德化窑白釉方形執壺	明・崇禎		中國國家博物館
885	德化窑白釉燭臺	明・崇禎		福建博物院
886	德化窑白釉犀角杯	明・崇禎		浙江省寧波市文物管理委員會
886	龍泉窑青釉刻花帶蓋梅瓶	明・崇禎		故宮博物院
887	龍泉窑青釉印花蓋罐	明・崇禎		故宮博物院
887	龍泉窑青釉執壺	明・崇禎		故宮博物院
888	龍泉窑青釉孔雀牡丹紋墩	明・崇禎	北京朝陽區	首都博物館
888	仿官窑貫耳瓶	明・崇禎		故宮博物院

景德鎮窑刻花重弦紋梅瓶

南宋
高32.5、口徑4.2厘米。
肩部剔刻纏枝蓮紋，肩下部至足飾重弦紋。
現藏廣東省博物館。

景德鎮窑刻花捲草紋梅瓶

南宋
高35.1、口徑3.7厘米。
小口，長圓腹，瓶身飾刻花捲草紋。
現藏陝西歷史博物館。

景德鎮窑刻花纏枝花卉紋梅瓶

南宋

四川遂寧市金魚村窖藏出土。

高41、口徑5.3厘米。

瓶帶蓋，蓋頂飾劃花覆荷葉紋，肩、腹部滿飾刻花纏枝花卉紋，花紋間滿布陰文複綫。

現藏四川省遂寧市博物館。

景德鎮窑印花八棱帶蓋梅瓶

南宋
高26、口徑4.2厘米。
梅瓶帶蓋，腹作八棱狀。蓋頂印一牡丹花，肩、脛分別刻覆蓮和仰蓮紋，瓶身八面摹印花卉圖案。
現藏廣東省博物館。

景德鎮窑鼓腹瓶

南宋
四川遂寧市金魚村窖藏出土。
高13.8、口徑3.3厘米。
敞口，長頸，鼓腹，淺圈足。
現藏四川省遂寧市博物館。

景德鎮窑八棱鼎式爐

南宋
四川遂寧市金魚村窖藏出土。
高14.7、口徑9.5厘米。
爐呈八棱形。口沿有雙繫，肩部飾對稱兩環耳，下承三獸足。
現藏四川省遂寧市博物館。

景德鎮窑蓮荷紋鼎式爐

南宋

四川遂寧市金魚村窖藏出土。

高17.4、口徑9.5厘米。

口沿上竪兩繫耳，頸部飾捲雲紋，腹部飾刻花蓮荷紋，下承三獸足。

現藏四川省遂寧市博物館。

景德鎮窑印花執壺

南宋

高26、口徑7.5厘米。

壺身飾三層印花紋飾，分别爲捲草紋、纏枝蓮紋和水波紋。有細小開片。

現藏廣東省博物館。

景德鎮窑蓮紋執壺

南宋
江西景德鎮市出土。
高16、口徑5厘米。
碟狀蓋，圓柱形蓋鈕。頸上部飾三道弦紋，腹中部飾凸弦紋，頸部以下飾纏枝蓮紋。
現藏江西省博物館。

景德鎮窑葫蘆執壺（右圖）

南宋
江西樂安縣出土。
高15.6、口徑2.2厘米。
執壺呈葫蘆狀，長流，曲柄，上有小圓蓋。通體有開片。
現藏江西省樂安縣博物館。

景德鎮窑龍首注壺

南宋
江西新建縣出土。
高8.8厘米。
肩部分别塑龍首流和扁平柄，配笠帽狀壺蓋。
現藏江西省博物館。

景德鎮窑印花雲龍紋注壺

南宋
四川遂寧市金魚村窖藏出土。
高8.5、口徑3厘米。
梨狀腹，短流，曲柄。肩部印一周乳丁紋，肩下部飾一圈回紋，腹壁飾雙夔龍盤繞器身。
現藏四川省遂寧市博物館。

景德鎮窑刻花大碗

南宋

高6.7、口徑20.8厘米。

碗内飾二嬰戲蓮紋，外壁光素無紋。

現藏故宮博物院。

景德鎮窑印花雙鳳紋碗

南宋

四川遂寧市金魚村窖藏出土。

高6.3、口徑18.4、底徑6.7厘米。

碗心飾雙鳳紋，内壁飾回紋和各種花卉紋。

現藏四川省遂寧市博物館。

景德鎮窑蓋碗

南宋

高10.5、口徑12.5厘米。

碗蓋爲瓜 蒂狀鈕，蓋有一圈折沿。

現藏故宫博物院。

景德鎮窑凸雕花卉紋尊

南宋

四川遂寧市金魚村窖藏出土。

高19.8、口徑15厘米。

頸飾回紋，桶形腹外壁飾剔地花卉紋，

下承高圈足。

現藏四川省遂寧市博物館。

景德鎮窑印花盒

南宋
江西新建縣昌邑出土。
高5、口徑5.5厘米。
盒蓋飾團花紋，直壁飾竪條紋。
現藏江西省博物館。

景德鎮窑蟾形水盂

南宋
四川遂寧市金魚村窖藏出土。
高11.2、口徑6.4、身長18厘米。
水盂作蟾狀，盂大口，腹部繪有鼓釘紋，蟾身其他部位有刻劃紋。
現藏四川省遂寧市博物館。

景德鎮窑龍虎枕

南宋

江西景德鎮市徵集。

高13.4、枕面寬7.5厘米。

枕體由扭鬥在一起的龍虎二獸雕塑構成，上有如意祥雲作枕面，飾雲氣紋，下有橢圓形基座。

現藏江西省景德鎮市陶瓷考古研究所。

景德鎮窑虎形瓷枕

南宋

湖北武漢市漢陽枕木防腐廠出土。

高11.2厘米，枕面長19.4、寬14.2厘米。

枕面橢圓形，兩端翹起，枕下部爲虎形。虎尾刻以竪條紋。

現藏湖北省博物館。

青白釉堆塑瓶

南宋
江西南昌市出土。
高68.8厘米。
口、肩部貼塑荷葉邊紋。頸部飾以螺旋紋，上堆塑蟠龍，龍周圍貼塑龜、蛇、日和祥雲。肩上貼塑十三個持棒俑。高帽狀蓋，蓋鈕爲立鳥。
現藏江西省博物館。

魂瓶

南宋
高33.5厘米。
瓶蓋上飾一鳥，頸部滿飾弦紋，頸與腹之間有四個寬帶耳相連，周圍飾人物和花鳥。
現藏江西省博物館。

素胎堆塑四靈蓋罐

南宋

江西景德鎮市汪澈墓出土。

蓮托塔式蓋，肩部堆塑青龍、白虎、朱雀、玄武四靈，瓶身刻篦紋和花卉紋。

現藏江西省景德鎮陶瓷歷史博物館。

建窑兔毫紋碗

南宋

高6、口徑12.9厘米。

碗内滿釉，自口至内底有細長的放射狀兔毫紋。

外施釉至近足部。

現藏首都博物館。

建窑油滴紋碗

南宋

口徑12.2厘米。

碗内外施黑釉，釉面有銀色油滴紋。

現藏日本大阪市立東洋陶瓷美術館。

建窯三足爐
南宋
高7、口徑16厘米。
外施黑釉，裏素胎。腹部飾四組醬彩點畫紋。
現藏故宮博物院。

吉州窯玳瑁紋碗
南宋
高6.2、口徑11.5厘米。
内外釉面滿飾玳瑁紋。
現藏日本東京國立博物館。

吉州窑黑釉雙鳳紋碗

南宋

直徑11.3厘米。

碗内以黃色彩釉繪雙鳳紋，鳳首尾相對，間以朵花，碗心亦飾以朵花。

現藏故宮博物院。

吉州窑剪紙貼花鳳紋碗

南宋

高6.2、口徑16厘米。

外壁施黑褐色釉，内壁施黃色底釉。碗心飾朵花，周圍環繞三隻貼花鳳鳥。

現藏天津博物館。

吉州窑黑釉剪紙貼花鸞鳳蛺蝶紋碗

南宋

高6、口徑12.1厘米。

内外施灰褐釉，碗内壁飾鸞鳳蛺蝶紋，外壁飾玳瑁斑紋。

現藏首都博物館。

吉州窑纏枝蔓草紋罐

南宋

高8、口徑7.5厘米。

頸部飾連續回紋，腹部滿飾纏枝蔓草紋，底有墨書“朱家工夫”瘦金體款。

現藏首都博物館。

吉州窑瑪瑙釉梅瓶

南宋
高36、口徑6厘米。
外表施褐、黄兩種釉，因質感頗似瑪瑙，故稱瑪瑙釉。
現藏故宫博物院。

吉州窑白地黑花纏枝紋瓶

南宋
江西九江市財經會計學校出土。
高34厘米。
肩部飾雙綫蓮瓣紋及三道弦紋，器身彩繪纏枝紋，近足部飾回紋。
現藏江西省九江市博物館。

吉州窑白地黑花鴛鴦紋瓶

南宋

高20、口徑5.6厘米。

口沿及頸部繪三道寬帶紋，其間繪捲草紋和回紋各一周。腹部錦地紋上開光，開光内繪蘆葦鴛鴦紋。

現藏廣東省博物館。

吉州窑黑釉剔花梅花紋瓶

南宋

高18.8、口徑4.8厘米。

先在瓶底施黑釉，然後剔出蒼老的梅枝。

現藏江西省宜春市文物保護管理委員會。

吉州窑黑釉荷花紋瓶

南宋

安徽巢湖市周鄭村出土。

高28、口徑6.4厘米。

器身繪白色荷花蓮葉紋。

現藏安徽省博物館。

吉州窑黑釉剔花梅花紋瓶

南宋

江西吉安市天華山出土。

高33、口徑8.3厘米。

瓶腹部兩梅枝之間各有一個上覆花葉、下托荷花的長方框，框内分別書“天慶觀”、“四聖臺”銘文。

現藏廣東省博物館。

廣元窑緑釉條紋壺

南宋

高23厘米。

壺頸飾二道凹弦紋和如意狀雙繫，肩爲二層臺式凸弦紋，腹部飾折枝花卉紋。

現藏故宫博物院。

邛崃窑藍緑釉玉壺春瓶

宋

高17.8厘米。

通體施藍緑釉，近足處露黄褐色胎。

現藏故宫博物院。

婺州窑青釉堆塑瓶

宋

高27.4厘米。

瓶口外有一輪明月，内有一“月”字。肩、頸部堆塑蟠龍、雲鳥及人物造型。蓋頂立一鳥爲鈕。

現藏浙江省博物館。

琉璃廠窑黄釉魚紋盆

宋
高12、口徑44.7厘米。
盆心繪緑色雙游魚。
現藏故宫博物院。

西村窑刻花點彩盤

宋
高10、口徑33.5厘米。
通體施青白釉，盤心刻鳳紋，并有五組規則的褐點，盤内壁刻纏枝蓮花，枝葉間散綴不規則褐點。
現藏故宫博物院。

青白釉刻花嬰戲紋枕

宋

高11、長18厘米。

枕面飾三個嬰孩兒嬉戲場面，枕側刻一周通貫的摩羯魚紋帶。

現藏江蘇省揚州博物館。

黃釉錦紋銀錠枕

宋

高8.5、長26厘米。

正面四周飾龜背紋，兩側爲錢紋錦地。

現藏故宮博物院。

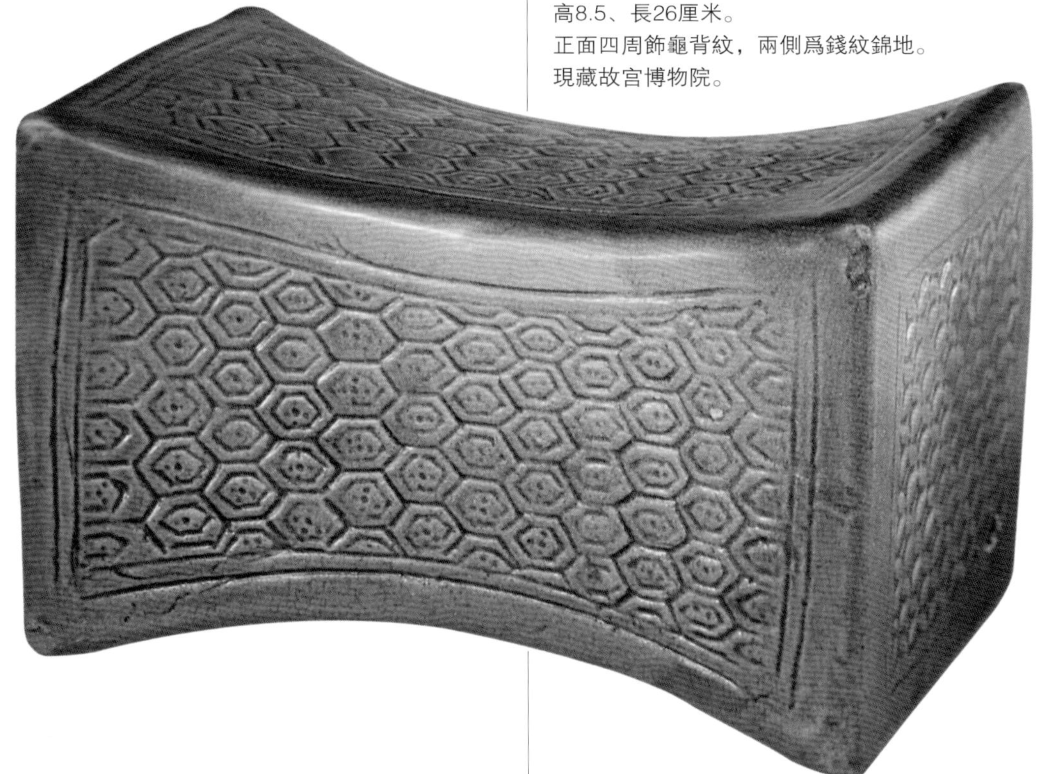

烏金釉醬斑碗

宋
高5.3、口徑12厘米。
內外施烏金釉，繪羽毛狀花紋。
近足處露黑紫胎。
現藏故宮博物院。

綠釉絞胎壺

宋
高9.5、口徑3厘米。
肩部有凹弦紋兩道，
通體施綠釉。
現藏故宮博物院。

絞胎罐（右圖）

宋

高21.2、口徑8.3厘米。

褐、白瓷土絞成胎，外施透明釉。

現藏吉林省博物院。

褐彩人物紋瓶

宋

廣東佛山市瀾石墓葬出土。

高31、口徑6.7厘米。

肩部繪纏枝蓮紋，腹部上下繪一周花帶，中部開光內繪一飲酒人物，開光外繪海水紋，足上部飾纏枝菊花紋一周。

現藏廣東省博物館。

景德鎮窑青花飛鳳紋玉壺春瓶

元

内蒙古庫倫旗出土。

高29.5厘米。

主題紋飾爲飛鳳紋和纏枝牡丹紋。

現藏内蒙古博物院。

景德鎮窑青花蓮池鴛鴦紋玉壺春瓶

元

高29厘米。

腹部主題紋飾爲蓮池鴛鴦紋。

現藏首都博物館。

景德鎮窑青花人物紋玉壺春瓶

元

江西上饒市出土。

高27.6厘米。

器身主題紋樣爲一儒者坐于池邊垂柳下，侍者在一旁恭立。

現藏江西省上饒市博物館。

景德鎮窑青花人物故事圖玉壺春瓶

元

湖南常德市出土。

高30厘米。

腹部繪身着甲袍的武將，大旗上書“蒙恬將軍”四字。

現藏湖南省博物館。

景德鎮窑青花五爪龍紋玉壺春瓶

元

河南滎陽市出土。

高39.4、口徑9.3厘米。

全器以雲龍紋裝飾，一條五爪蛟龍翻騰于雲間。

現藏河南博物院。

景德鎮窑青花獅球紋八棱玉壺春瓶

元

河北保定市永華南路元代窑藏出土。

高32.5厘米。

瓶呈八棱形，腹部主題紋飾爲雙獅戲球。

現藏河北省博物館。

景德鎮窑青花西厢圖梅瓶

元

高35.6、口徑5.5厘米。

瓶身主題紋飾爲元曲《西厢記》“拷紅”故事。

現藏英國倫敦維多利亞和阿爾伯特國立博物院。

景德鎮窑青花纏枝牡丹紋梅瓶

元

高40.1、口徑6.2厘米。

肩部飾四組如意雲頭紋，腹部繪纏枝牡丹紋，底繪七瓣仰蓮紋。

現藏上海博物館。

景德鎮窑青花鳳凰草蟲紋八棱梅瓶

元

高45厘米。

瓶身四開光，開光内分别繪葡萄與蟋蟀、鳳凰與菊花、豆角與螳螂和鳳凰與牽牛花。

現藏日本東京松岡美術館。

景德鎮窑青花纏枝牡丹紋帶蓋梅瓶

元

江西高安市出土。

高48.7厘米。

覆杯形蓋，蓋心有一直管，倒插入瓶内。肩部飾如意雲頭紋，腹部繪纏枝牡丹紋，下腹部飾仰蓮紋。

現藏江西省高安市博物館。

景德鎮窑青花雲龍紋帶蓋梅瓶

元

江西高安市出土。

高48厘米。

覆杯形蓋，蓮苞狀蓋鈕，蓋面飾捲草紋，外壁飾覆蓮紋。肩部繪鳳穿牡丹紋，腹部繪雙雲龍紋，腹下部繪仰蓮紋。

現藏江西省高安市博物館。

景德鎮窑青花海水龍紋八棱帶蓋梅瓶

元

河北保定市永華南路元代窖藏出土。

高51.5厘米。

八棱形瓶身。肩部及脛部飾如意雲頭紋，内繪花卉鳳鳥和怪獸，瓶身繪青花海水游龍紋和火焰紋。

現藏河北省博物館。

景德鎮窑青花牡丹紋帶蓋梅瓶

元

江西高安市窖藏出土。

高48.7、口徑2.9厘米。

瓶有寶珠頂蓋。肩部飾如意雲頭紋，内繪海水荷花紋。腹部繪纏枝牡丹紋，下部繪變形仰蓮紋。

現藏江西省高安市博物館。

景德鎮窑青花纏枝牡丹紋葫蘆瓶

元

高70厘米。

葫蘆形瓶身，瓶身通體繪纏枝牡丹紋。瓶底墨書“二”字。蓋爲後配。

現藏土耳其伊斯坦布爾托布卡博物館。

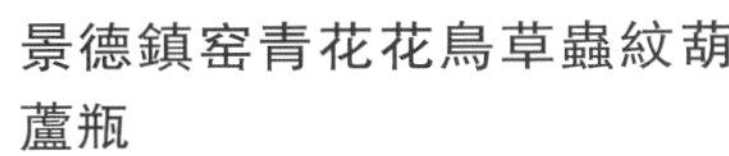

景德鎮窑青花花鳥草蟲紋葫蘆瓶

元

高60.3厘米。

葫蘆狀八棱瓶身，通體外壁繪花鳥草蟲紋。

現藏土耳其伊斯坦布爾托布卡博物館。

景德鎮窑青花雲龍紋象耳大瓶

元

高63.6厘米。

頸部兩側各附一象首環耳。頸部飾蕉葉紋和鳳紋，腹部飾海水雲龍紋。頸部蕉葉紋之間書元至正十一年（公元1351年）題記。

現藏英國倫敦大學亞非學院斐西瓦樂・大維德中國美術館。

景德鎮窑青花蕉葉紋觚

元

江西高安市出土。

高16、口徑7.5厘米。

腹上有四扉棱。頸飾蕉葉紋，圈足上飾變形仰蓮瓣紋。

現藏中國國家博物館。

景德鎮窑青花雲龍紋荷葉蓋罐

元

江西高安市出土。

高36、口徑21厘米。

覆式荷葉形蓋。肩部飾纏枝牡丹紋，腹部飾二龍相逐 。

現藏江西省高安市博物館。

景德鎮窑青花纏枝牡丹紋罐

元

高27.5、口徑20.4厘米。

頸部繪海水波濤紋，肩部繪纏枝蓮紋，腹部飾纏枝牡丹紋，脛部繪仰蓮瓣紋。

現藏上海博物館。

景德鎮窑青花纏枝牡丹紋罐

元
內蒙古包頭市燕家梁徵集。
高29、口徑22厘米。
罐外壁分段飾花卉圖案。頸部繪一周花葉紋，肩部飾石榴花卉，腹部爲纏枝牡丹花卉紋，下腹飾蓮瓣紋。
現藏內蒙古博物院。

景德鎮窑青花魚藻紋大罐

元
高29、口徑21.6厘米。
頸部飾水波紋一周，肩部繪纏枝牡丹紋一周，腹部主題紋樣爲魚藻圖，腹下部飾捲草紋一周，以下爲變形仰蓮瓣紋。
現藏香港葛氏天民樓基金會。

景德鎮窑青花騎馬人物紋罐

元

高34、口徑21厘米。

罐腹部繪元雜劇《漢宫秋》故事。

現藏日本東京出光美術館。

景德鎮窑青花雲龍紋罐

元

高33、口徑13.3厘米。

罐肩部繪捲雲蓮花紋，足部飾仰蓮紋，罐身主題紋飾爲雲龍紋。

現藏山東省博物館。

景德鎮窑青花牡丹紋蓋罐

元

安徽蚌埠市湯和墓出土。

高47.5、口徑15.6厘米。

肩部有雙繫兽面耳，腹部繪纏枝牡丹紋。

現藏安徽省博物館。

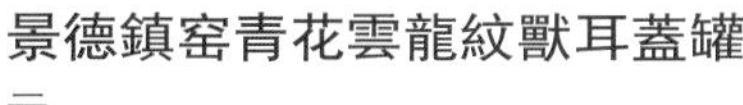

景德鎮窑青花雲龍紋獸耳蓋罐

元

江西高安市出土。

高47、口徑14.6厘米。

寶珠鈕蓋，肩部兩側各有一隻獸面銜環耳。

罐身主題紋飾爲二龍戲珠紋和纏枝牡丹紋。

現藏江西省高安市博物館。

景德鎮窑青花開光八棱罐

元

高39.7、口徑15.3厘米。

腹部八開光，開光内分别繪松、竹、梅和荷塘鴛鴦。

現藏遼寧省博物館。

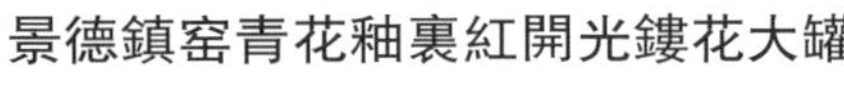

景德鎮窑青花釉裏紅開光鏤花大罐

元

河北保定市永華南路元代窖藏出土。

高42.3、口徑15.3厘米。

覆盆式坐獅鈕蓋，蓋飾蓮瓣紋、捲草紋和回紋。頸飾纏枝花卉和捲草紋，肩飾纏枝菊和雲頭紋。腹部四開光，開光内鏤空浮雕四組花卉、枝葉和山石，青花染枝葉，釉裏紅塗花卉和山石。腹下部飾捲草紋和仰蓮紋。

現藏河北省博物館。

景德鎮窑青花龍紋盤

元

內蒙古林西縣繁榮鄉元墓出土。

高4.2、口徑15.9厘米。

盤內外壁均繪七朵纏枝菊花，盤心繪一條行龍。

現藏內蒙古自治區林西縣文物管理所。

景德鎮窑青花蓮池紋盤

元

安徽安慶市元代窑藏出土。

高1.3、口徑16.3厘米。

八瓣菱花式口，口沿下繪捲草紋一周，盤底繪束蓮紋和水草紋。

現藏安徽省博物館。

景德鎮窑青花瓜竹葡萄紋盤

元

高7、口徑45厘米。

菱花式口。盤心繪芭蕉、竹石、瓜果和葡萄等，内壁和口沿均以藍色爲地，分别飾白色菊花和牡丹花一周。外壁繪纏枝蓮花紋。

現藏上海博物館。

景德鎮窑青花蓮池鴛鴦紋盤

元

高6.7、口徑46.5厘米。

菱花式口。盤心繪一對鴛鴦顧盼追逐于五朵蓮花間，內外壁繪纏枝蓮花紋。

現藏故宮博物院。

景德鎮窑青花藍地白花瓜竹葡萄紋盤

元

高7、口徑45.8厘米。

菱花式口。盤心和内壁均藍地白花，分别繪纏枝蓮花和纏枝牡丹紋。口沿繪波濤紋一周。

現藏上海博物館。

景德鎮窑青花纏枝蓮花紋大盤

元

高8、口徑46厘米。

十六瓣菱花式盤。内心爲牡丹紋，向外依次爲雜寶紋、波濤紋、如意雲紋、纏枝蓮花紋和波濤紋一周。外壁繪纏枝蓮花紋一周。

現藏香港葛氏天民樓基金會。

景德鎮窑青花藍地白花蓮池白鷺紋盤

元

高10.8、口徑45厘米。

菱花式口。紋飾爲藍地白花。盤心繪四隻白鷺嬉戲于蓮池，内壁繪四隻鳳鳥和纏枝菊，口沿繪波濤紋。外壁繪纏枝牡丹紋。紋飾表層吹噴一層鈷料，使圖案有一種朦朧感，這種技法較少見。

現藏土耳其伊斯坦布爾托布卡博物館。

景德鎮窑青花蓮瓣形盤

元

高3.6、口徑29.6、足徑9厘米。

盤呈八瓣蓮花形。盤内蓮瓣内繪蓮花、火珠、海螺等，盤心繪蓮荷紋。

現藏上海博物館。

景德鎮窑青花纏枝花卉紋梨形壺

元

高10.8、腹徑8厘米。

壺呈梨形，長流微彎，耳形執柄。

腹部飾纏枝花卉紋。

現藏遼寧省博物館。

景德鎮窑青花鳳首扁壺

元
北京西城區舊鼓樓大街元代窖藏出土。
高18.7厘米。
鳳首爲流，鳳尾狀執手。鳳身繪于壺體上部，雙翅垂于壺體兩側，壺體下部繪纏枝蓮。
現藏首都博物館。

景德鎮窑青花雙龍紋扁方壺

元
高38.9厘米。
器型仿西亞銀器。小口，肩部有螭龍形雙繫，扁方形壺身。壺身上部繪如意雲頭紋肩，内繪花卉鳳紋，下部繪二龍戲珠紋。壺兩側繪如意紋和纏枝菊紋。
現藏日本東京出光美術館。

景德鎮窑青花鸞鳳紋匜

元
甘肅臨洮縣衔下集鎮寺窪山村雙寺子社出土。
高4.1、口徑13.2厘米。
器内壁繪纏枝菊，内底繪鸞鳳對舞紋，外壁繪蓮瓣紋。
現藏甘肅省臨洮縣博物館。

景德鎮窑青花束蓮捲草紋匜

元

高4.4、口徑12.9厘米。

内壁飾一圈捲草紋，外壁飾開光捲草紋。

現藏中國國家博物館。

景德鎮窑青花雙耳三足爐

元

高10、口徑8.6厘米。

爐頸下部與三足處均飾捲草紋，腹部繪梅花紋。

現藏香港葛氏天民樓基金會。

景德鎮窑青花歲寒三友紋爐

元

高31.4、口徑20.1厘米。

衝耳，三獸首足，方形腹。外壁繪松、竹、梅“歲寒三友”圖。

現藏故宫博物院。

景德鎮窑青花詩文高足杯

元
江西高安市出土。
高9.8、口徑11.2厘米。
外壁繪纏枝菊紋，內沿處飾捲草紋，內底草書“人生百年長在醉，算來三萬六千場”詩文。
現藏江西省高安市博物館。

景德鎮窑青花龍紋高足碗

元
高11.4、口徑13.2厘米。
內壁飾印花雙龍紋，內底繪花朵。外壁腹部繪雲龍紋和蓮瓣紋，足外壁繪捲草紋和蕉葉紋。
現藏遼寧省博物館。

景德鎮窑青花筆架水盂

元

高8.9、寬11.3厘米。

筆架由四座高聳的海礁組成，頂端托一輪明月。筆架左邊爲蛙形水盂，背有一孔。

現藏浙江省杭州市文物研究所。

景德鎮窑青花船形硯滴

元

長15.5厘米。

船頭有流口，前篷内有二人并坐。

現藏廣東省廣州市文物總店。

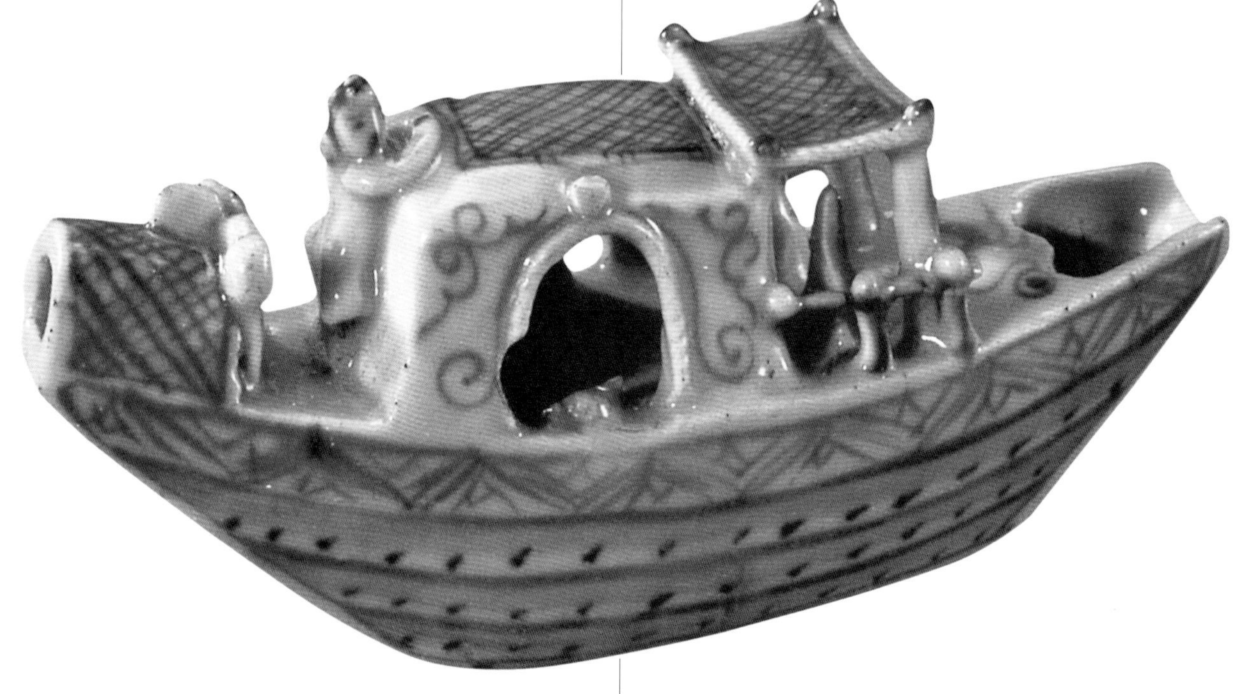

景德鎮窑卵白釉“太禧”銘盤

元

高2.3、口徑17.8厘米。

内壁飾印花五爪龍紋，紋飾間有“太禧”二字。“太禧”爲元代掌管祭祀機構“太禧宗社院”的簡稱，故此盤應爲元朝皇帝祭祖用的供器。

現藏英國倫敦維多利亞和阿爾伯特國立博物院。

景德鎮窑卵白釉印花龍紋盤

元

河北保定市永華南路出土。

高1.9、口徑16.2厘米。

菱花式口，淺腹。内底飾印花二龍戲珠紋。

現藏河北省博物館。

景德鎮窑卵白釉堆花加彩描金盤

元

高4.3、口徑16.1厘米。

内口沿繪花葉紋一周，盤心爲葵瓣形開光，内書梵文“唵”字，外壁繪八葉蓮葉，葉内繪法輪、魚、銀錠等八寶紋樣。此器爲二次燒造，先製成素面卵白釉盤，器成後用立粉五彩堆花并描金。

現藏上海博物館。

景德鎮窑卵白釉堆花加彩描金盤内底

景德鎮窑卵白釉堆花加彩描金盤外底

景德鎮窑卵白釉碗

元

高4.5、口徑11.5厘米。

外壁無紋飾，内壁模印纏枝牡丹五朵。

現藏重慶市博物館。

景德鎮窑卵白釉雙繫三足爐

元

北京朝陽區小紅門張弘綱墓出土。

高9.7、口徑10.2厘米。

瓜棱腹，頸部有對稱雙繫，腹部下承三獸足。

現藏首都博物館。

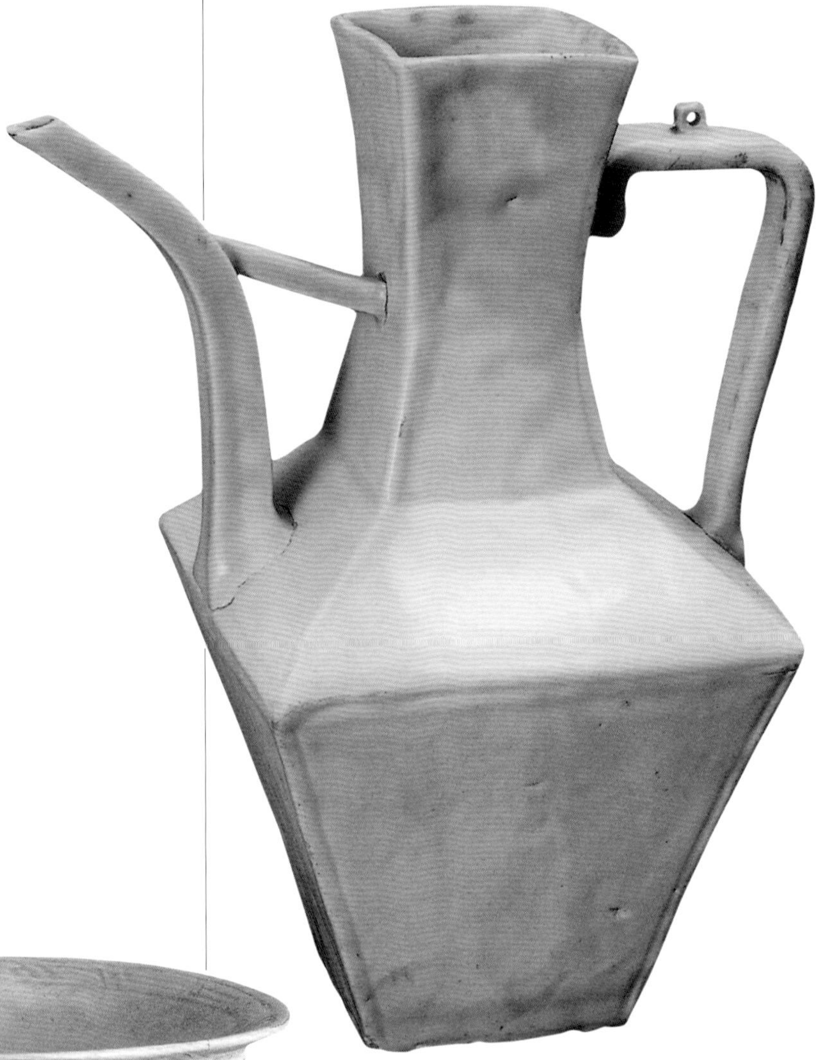

景德鎮窑卵白釉折方執壺

元

高26.5厘米。

方體彎流，折方把手，通體施卵白釉。

現藏上海博物館。

景德鎮窑卵白釉鏤空折枝花高足杯

元

江蘇揚州市老虎山西路出土。

高12.7、口徑11.2厘米。

杯身爲雙層結構，外壁鏤刻牡丹、梅花、菊花等圖案。

現藏江蘇省揚州博物館。

景德鎮窰青白釉玉壺春瓶

元

北京崇文區龍潭湖鐵可墓出土。

高28.2、口徑7.7厘米。

瓶身以貼花和串珠式裝飾手法飾如意雲紋和“福如東海”、“壽比南山”的吉祥語。

現藏首都博物館。

景德鎮窰青白釉梅花紋雙耳瓶

元
重慶上清寺出土。
高20.4、口徑4厘米。
頸部塑兩“S”形花耳，腹部貼梅花一枝。
現藏重慶博物館。

景德鎮窰青白釉刻蓮紋玉壺春瓶

元
高28.7、口徑8.4厘米。
頸部飾蕉葉紋，腹部上下各有兩道凹弦紋，中間飾蓮花紋。
現藏江西省博物館。

景德鎮窰青白釉刻牡丹紋雙耳瓶

元

江西貴溪市出土。

高33.5、口徑8.5厘米。

頸部貼塑花形扁平雙耳挂環，上下弦紋間環刻蕉葉四片，腹部主題紋飾爲牡丹兩朵，近底部環刻仰蓮紋。

現藏江西省博物館。

景德鎮窰青白釉多棱雙耳瓶

元

江西鄱陽縣出土。

高18.4、口徑7.2厘米。

瓶頸部貼塑如意狀雙耳，通體飾直條凸棱紋。

現藏江西省博物館。

景德鎮窑青白釉刻雲紋花瓶

元
四川廣漢市西外鄉出土。
高24.4、口徑9.3厘米。
水波狀口，頸部飾四片蕉葉紋，腹部繪朵雲紋。
現藏重慶博物館。

景德鎮窑青白釉雲龍紋獅鈕蓋梅瓶

元
江西萬年縣元墓出土。
高32.8、口徑5.8厘米。
笠形蓋，蓋上塑坐獅鈕。肩部飾折枝花，腹部飾單龍戲水，近底部飾仰蓮瓣紋。
現藏江西省博物館。

景德鎮窑青白釉淺浮雕八角形瓶

元

高27.2厘米。

器呈八角形，器腹以綴珠紋組成，腹部有浮雕花卉紋八組。口部及底座金屬件後配。現藏英國倫敦維多利亞和阿爾伯特國立博物院。

景德鎮窯青白釉堆梅紋帶座瓶（右圖）

元

江西萬年縣出土。

高24.7、口徑2.6厘米。

上腹部塑一折枝梅，瓶座鏤五個圓蹄形孔，孔邊飾鋸齒紋，座下有三蹄形足。

現藏江西省博物館。

景德鎮窯青白釉暗花執壺

元

高17.6、口徑4.3厘米。

寶珠形蓋鈕，頸、腹間有細長彎流和彎把手。腹部暗刻折枝花卉。

現藏江蘇省蘇州博物館。

景德鎮窑青白釉僧帽壺

元

北京海淀區出土。

高19.7、口徑16.3厘米。

流作鴨嘴形前伸，曲柄上端有一雲頭形裝飾。

現藏首都博物館。

景德鎮窑青白釉多穆壺

元

北京崇文區元墓出土。

高24.9、口徑9厘米。

壺體有仿箍和鉚釘狀裝飾，柄上下端有捲雲形裝飾。

現藏首都博物館。

景德鎮窑青白釉刻牡丹紋雙耳扁壺（右圖）

元

北京安定門外元大都遺址出土。

高40、口徑13.5厘米。

頸兩側有龍形耳。壺身飾數周凸弦紋，弦紋間飾雲雷紋、捲草紋、龍紋和牡丹紋等紋樣。

現藏首都博物館。

景德鎮窑青白釉雲龍紋罐

元

浙江杭州市出土。

高30.5、口徑15.5、底徑17.7厘米。

肩部飾雙鳳牡丹紋，腹部飾海水波濤雲龍紋，

近底部飾蓮瓣紋。

現藏浙江省杭州市文物研究所。

景德鎮窑青白釉獸鈕蓋罐

元

内蒙古翁牛特旗廣德公鄉老虎洞元墓出土。

高14.8、口徑6.3、底徑8.9厘米。

獸形鈕器蓋，獸作蹲坐回首狀。

現藏内蒙古自治區赤峰市博物館。

景德鎮窑青白釉印花雲龍紋盤

元

江西永新縣出土。

高6.7、口徑22厘米。

盤心飾印花單龍戲珠及雲紋五朵，外繞弦紋一道。

現藏江西省博物館。

景德鎮窑青白釉印龍紋花口盞

元

河北保定市永華南路出土。

高4、口徑8.1厘米。

器爲八瓣菱花形。内壁八條出筋，將腹部分爲八個花瓣。

現藏河北省博物館。

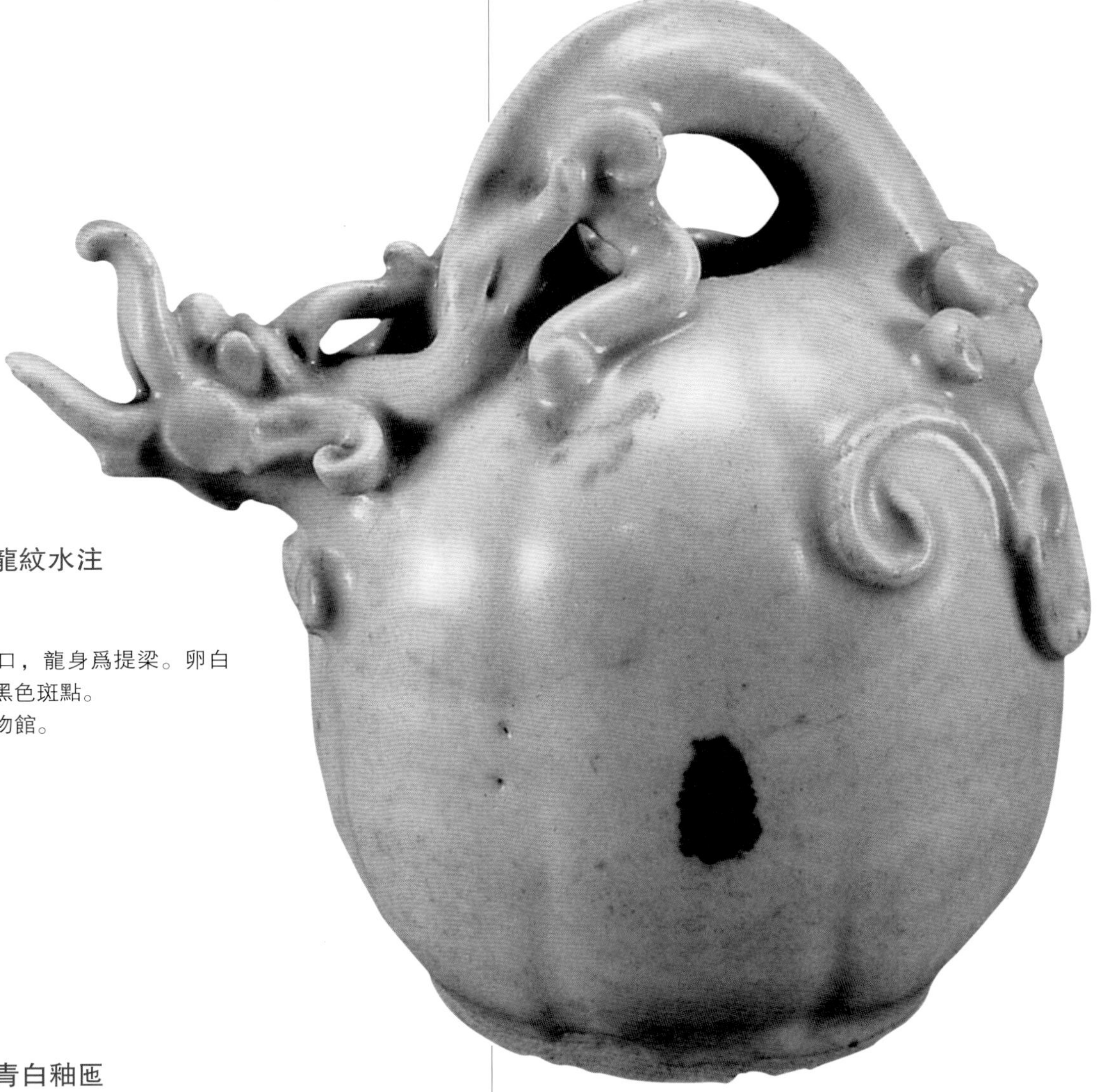

景德鎮窰
青白釉蟠龍紋水注

元
高12厘米。
用龍頭作流口，龍身爲提梁。卵白色釉，飾一黑色斑點。
現藏重慶博物館。

景德鎮窰青白釉匜

元
北京昌平區元墓出土。
高4.6、口徑13.3厘米。
方槽形短流，流下設一捲雲裝飾。内底飾一周弦紋。
現藏首都博物館。

景德鎮窑青白釉乳釘刻蓮紋三足爐

元
北京安定門外元大都遺址出土。
高12、口徑23厘米。
爐有三獸面足。外壁口沿及近底處各飾一周乳釘紋，之間飾纏枝蓮花紋。
現藏首都博物館。

景德鎮窑青白釉仿定窑螭紋洗

元
高4、口徑14.2厘米。
口沿鑲包銅口，洗心刻雲螭紋，内壁飾一周回紋。
現藏故宫博物院。

景德鎮窑青白釉獅尊

元

高21.8、長13.4厘米。

器塑成獅形，背部馱雙繫瓶，瓶上有貼花裝飾。

現藏上海博物館。

景德鎮窑青白釉饕餮紋雙耳三足爐

元

北京安定門外元大都遺址出土。

高29.5、口徑17厘米。

器型仿青銅器，口沿刻一周雲雷紋，腹上飾饕餮紋。

現藏首都博物館。

景德鎮窑青白釉筆架

元

北京新街口元大都遺址出土。

高11、長18厘米。

筆架鏤雕成五座山峰形，山脚下海水翻騰，游龍戲水。

現藏首都博物館。

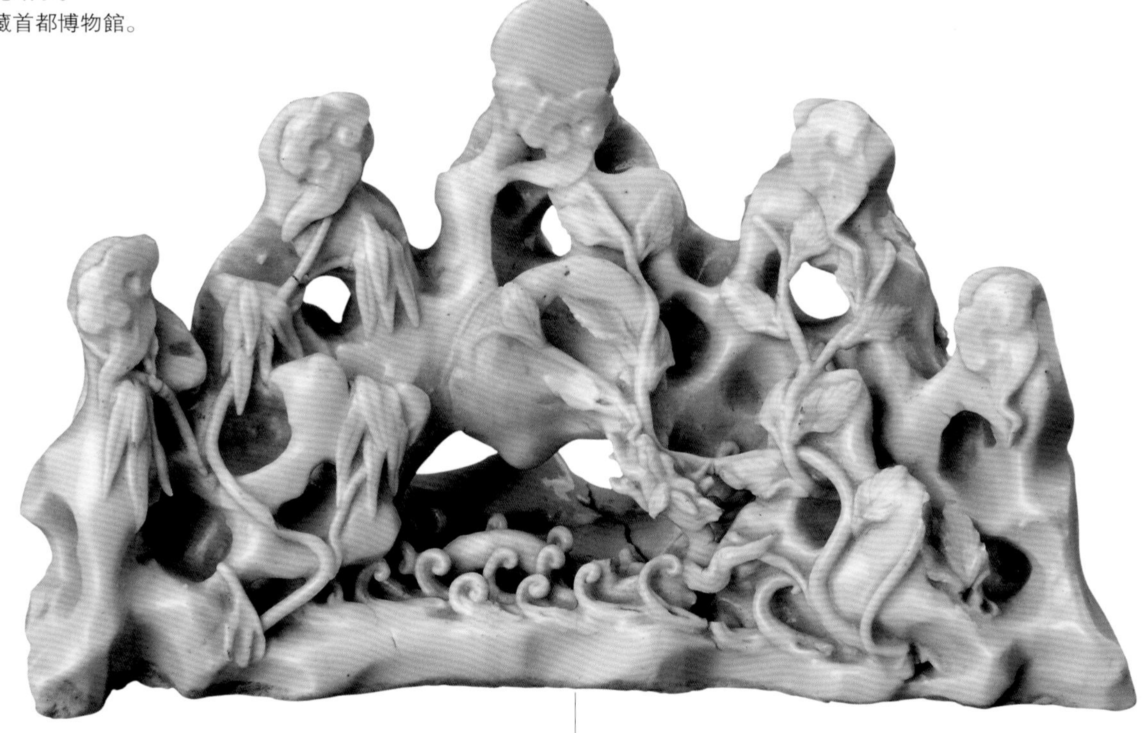

景德鎮窑青白釉透雕殿堂人物枕

元
安徽岳西縣出土。
高18.2、長32厘米。
枕形爲出檐殿堂式，殿中塑十八個人物。
現藏安徽省岳西縣文物管理所。

景德鎮窑青白釉透雕廣寒宫枕

元
高15.3、長32厘米。
枕正面爲廣寒宫殿堂，内有嫦娥、玉兔、太上老君等神話中的角色。
現藏山西省大同市博物館。

景德鎮窑青白釉堆塑瓶

元

江西南昌市出土。

高92.2厘米。

二件細長頸，鼓腹，有蓋。蓋頂部立鶴，頸部刻劃十二生肖、日月四靈和仙佛人物等。

現藏江西省博物館。

景德鎮窑釉裏紅雲鳳紋玉壺春瓶

元

江西樂平市徵集。

高23.6、口徑6.6厘米。

頸部繪覆蓮紋，腹上下部繪弦紋，其間繪雙鳳紋。

現藏江西省博物館。

景德鎮窑釉裏紅纏枝蓮紋玉壺春瓶

元

江西樂平市徵集。

高23.6、口徑6.6厘米。

瓶頸、肩間各飾弦紋相隔，其間環飾仰蓮紋一周，蓮瓣内繪螺旋狀雲紋。腹中部飾纏枝菊紋。

現藏江西省博物館。

景德鎮窑釉裏紅花草紋玉壺春瓶

元
内蒙古翁牛特旗出土。
高27.8、口徑8厘米。
頸至腹部以數道弦紋分割兩組紋飾，分别爲變體蓮瓣紋和折枝花草紋。
現藏内蒙古自治區翁牛特旗文物管理所。

景德鎮窑釉裏紅纏枝菊紋玉壺春瓶

元
高32.1、口徑8.5厘米。
頸飾蕉葉紋，腹飾纏枝菊紋，腹下部飾仰蓮紋。
現藏中國國家博物館。

景德鎮窑釉裏紅鳳紋梅瓶

元

高39.5厘米。

肩部飾四組如意雲頭紋，其間繪飛鳳和雲朵，腹部飾鳳紋和花卉紋。

現藏日本奈良大和文華館。

景德鎮窑釉裏紅歲寒三友玉壺春瓶

元

高32.3、口徑8.8厘米。

腹部主題紋飾爲歲寒三友，間以山石、靈芝等圖案。

現藏故宫博物院。

景德鎮窑釉裏紅歲寒三友帶蓋梅瓶

元

江蘇南京市江寧區孫家山出土。

高41.6厘米。

寶珠鈕鐘式蓋。腹部主題紋飾爲松、竹、梅“歲寒三友”。

現藏南京博物院。

景德鎮窑釉裏紅龍雲紋蓋罐

元

江蘇蘇州市通安華山出土。

高38.2厘米。

器腹飾龍紋，肩、脛部刻纏枝花及變體蓮紋。

現藏江蘇省蘇州博物館。

景德鎮窑釉裏紅開光花鳥紋罐

元

江西高安市出土。

高24.8、口徑13.3厘米。

腹部主體紋飾爲四個對稱海棠花形開光，開光内分别繪鶴穿雲紋和孔雀牡丹紋。

現藏江西省高安市博物館。

景德鎮窑釉裏紅松竹梅紋罐

元

高54、口徑27厘米。

腹部繪松、竹、梅“歲寒三友”，并間飾坡石和蕉葉等。

現藏天津博物館。

景德鎮窑釉里紅纏枝牡丹紋碗

元

高16.2、口徑41.8厘米。

器内心繪牡丹紋，内壁繪纏枝菊，外壁繪纏枝牡丹。

現藏中國國家博物館。

景德鎮窑釉裏紅折枝菊紋高足轉杯

元
江西高安市出土。
高9.5、口徑7.8厘米。
腹部有捲雲形小繫。竹節形高圈足。外壁飾釉裏紅折枝菊花紋。
現藏江西省高安市博物館。

景德鎮窑釉裏紅堆貼蟠螭紋高足轉杯

元
江西高安市出土。
高12.8、口徑10.4厘米。
腹外壁下部堆塑蟠龍，內壁壓印回紋一道，杯心印梅紋和纏枝菊紋。竹節形高圈足。
現藏江西省高安市博物館。

景德鎮窑釉裏紅高足杯

元
甘肅漳縣汪世顯家族墓出土。
高8.7、口徑8.9厘米。
腹部一側飾釉裏紅斑。
現藏甘肅省博物館。

景德鎮窑釉裏紅雁銜蘆紋匜

元
江西高安市出土。
高5.5、口徑14.3厘米。
長方槽形短流，流下有一捲雲形繫。
内壁釉裏紅繪飛雁銜蘆紋。
現藏江西省高安市博物館。

景德鎮窑青花釉裏紅塔式蓋罐

元

高22.5、口徑7.7厘米。

蓋上立一塔形鈕，腹部以青花、釉裏紅點染四靈堆塑。頸部以青料書“大元至元戊寅六月壬寅吉置”楷書款，至元戊寅爲公元1338年。肩部以青料書“劉大使宅凌氏用”楷書題記。

現藏江西省博物館。

景德鎮窑青花釉裏紅堆塑樓閣式穀倉

元

江西景德鎮市出土。

高29.5、寬20.5厘米。

倉作閣樓狀，樓上設欄杆，前後各塑有人物。倉底座設欄杆，正面朱門，背面設插入式瓷板，上書至元癸巳（即至元三十年，公元1293年）墓志文。

現藏江西省博物館。

景德鎮窑霽藍釉白龍紋梅瓶

元

高43.5厘米。

通體施霽藍釉，瓶上腹部剔刻三爪游龍一條，嵌以白泥料。

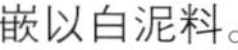

現藏江蘇省揚州博物館。

景德鎮窑霽藍釉白龍盤

元

高1.3、口徑15.8厘米。

通體施霽藍釉，盤底飾白龍紋。

現藏故宫博物院。

景德鎮窑藍釉爵杯

元

安徽歙縣中國人民銀行支行工地出土。

高9、口徑6.9–11.5厘米。

口上有兩圓柱，腹部有圈，高尖足呈三角形外撇。

現藏安徽省歙縣博物館。

景德鎮窑紅釉印花龍紋盤

元

高3.3、口徑19.4厘米。

通體施紅釉。盤心陰刻三朵雲紋，内壁模印雙龍。

現藏故宫博物院。

景德鎮窑紅釉刻花雲龍紋梨形壺

元

高12.5、口徑3.5厘米。

通體及足内施紅釉，腹部暗刻五爪雲龍紋。

現藏故宫博物院。

景德鎮窑紅釉印花雲龍紋高足碗

元

高14、口徑14.6厘米。

碗心陰刻雲紋三朵，内壁模印陽文雙龍紋，間以兩朵雲紋，高足内施淡青釉。

現藏故宫博物院。

磁州窑白釉黑花玉壺春瓶（右圖）

元

河北邯鄲縣西天池村沙坑出土。

高30.3、口徑8.2厘米。

頸部繪蕉葉紋，肩部繪捲草紋，腹部爲花鳥紋，各紋飾以黑弦紋隔開。

現藏河北省邯鄲市文物保護研究所。

磁州窑白地黑花鳳紋罐

元

北京房山區良鄉元代窖藏出土。

高38、口徑18厘米。

肩部繪菊花紋一周，腹部繪鳳紋，間飾雲氣紋。

現藏首都博物館。

磁州窑白地黑花嬰戲圖罐

元
遼寧綏中縣海城出土。
高30、口徑18.5厘米。
肩部飾纏枝紋，腹部主體紋飾爲黑彩嬰戲紋。
現藏中國國家博物館。

磁州窑剔花鳳紋罐

元
内蒙古察哈爾右翼前旗出土。
高22、口徑12厘米。
通體施白釉，上腹剔刻飛鳳紋。
現藏内蒙古博物院。

磁州窑白地褐彩龍鳳紋罐

元

河北邯鄲市峰峰礦區彭城出土。
高36.3、口徑21.5厘米。
肩部繪纏枝花一周，腹部前後各一菱形開光，開光内分别繪雲龍和海水鳳鳥紋。
現藏河北省邯鄲市博物館。

磁州窑白地褐彩龍鳳紋罐
海水鳳鳥紋飾

磁州窑白釉褐彩雙鳳紋罐

元

江蘇揚州市漕河岸出土。

高40、口徑25厘米。

腹部兩面開光内分别飾飛鳳紋和捲雲紋。器内滿施醬釉。

現藏江蘇省揚州博物館。

磁州窑白地黑花開光人物花卉紋罐

元

高33、口徑21.2厘米。

器腹主題紋飾分别繪在三如意形開光内，二爲人物，一爲朵花。

現藏上海博物館。

磁州窑白地褐彩四繫龍鳳紋大罐

元
內蒙古武川縣徵集。
高59、口徑14、底徑16.5厘米。
頸部塑四繫，腹部對稱飾龍鳳紋。
現藏內蒙古博物院。

磁州窑白地褐彩四繫龍鳳紋大罐鳳鳥紋飾

磁州窑白地黑花龍鳳紋扁瓶

元
北京安定門外元大都遺址出土。
高33厘米。
頸兩側各有雙繫。腹部扁平，兩側分别繪龍紋和鳳紋，腹側面繪捲草紋。
現藏首都博物館。

磁州窑白地黑花龍鳳紋扁瓶鳳鳥紋飾

磁州窑白釉黑花飛鷹逐兔長方枕

元

河北磁縣南關興仁街墓葬出土。

高10.6-13厘米，面長30.3、寬16.5厘米。

枕呈長方體，出沿。枕面四周繪花卉紋，中間開光内繪飛鷹逐兔圖，枕側壁繪竹紋及捲草紋。

現藏河北省磁縣文物保管所。

磁州窑白釉黑花人物故事圖長方枕

元

河北磁縣出土。

高10.5-15.5厘米，面長43.4、寬17.7厘米。

枕呈長方體，出沿。枕面四周繪錦紋，中間繪人物故事，枕側壁繪花卉紋。

現藏河北省磁縣文物保管所。

磁州窑孔雀緑釉黑花人物紋梅瓶

元

高26、口徑3.6厘米。

通體施孔雀緑釉。器身三個菱形開光内分别繪高士、奔兔和仙鶴圖。

現藏江蘇省揚州市文物商店。

鈞窑天藍釉方瓶

元

高29.4、口徑7厘米。

平沿外折，弧腹下鼓，附臺階狀足。

現藏上海博物館。

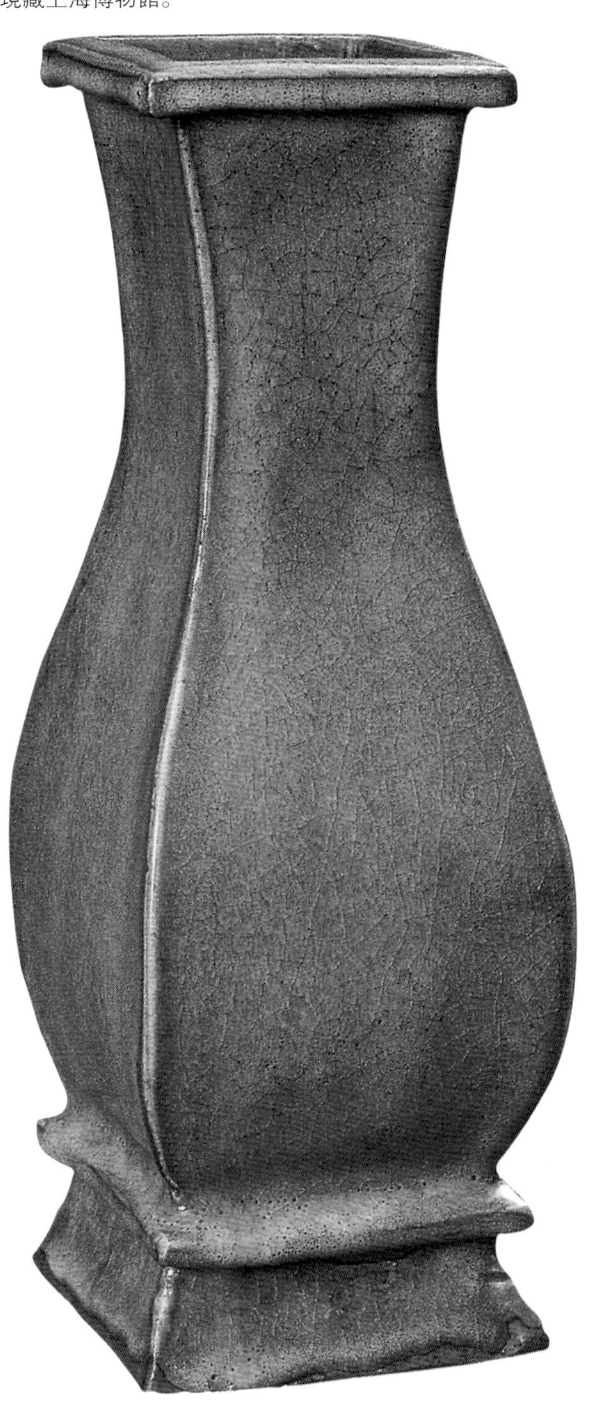

鈞窑天藍釉貼花獸面紋雙螭耳連座瓶

元

内蒙古呼和浩特市白塔村古城遺址出土。

高58厘米。

頸、肩部塑對稱螭耳，下連由五條條狀獸足組合成的器座，座開五孔，腹部堆塑四鋪首銜環紋。

現藏中國國家博物館。

鈞窑天藍釉貼花獸面紋雙螭耳連座瓶

元

北京新街口後桃園元大都遺址出土。

高63.8厘米。

五瓣花形口，頸、肩部塑對稱螭耳，腹部堆塑獸面鋪首，下連五孔座。

現藏首都博物館。

鈞窑天青釉香爐

元

内蒙古呼和浩特市白塔村出土。

高42.7、口徑25.5厘米。

有兩對稱竪耳，肩部塑雙繫，下承三足。頸部貼龍，腹部貼獸面。頸部刻“己酉年九月十五小宋自造香爐”題記，己酉年爲元至大二年（公元1309年）。

現藏内蒙古博物院。

鈞釉貼花雙耳三足爐

元

高23.6、口徑16.7厘米。

直口，口外塑八乳釘，頸部一面貼團花，對側貼凸龍。腹部貼有兩個獸面，間以四朵花，下承三獸足。

現藏故宮博物院。

鈞窑天青釉花口盤

元

高3、口徑13.5厘米。

花口，淺腹，腹壁有出筋。

現藏内蒙古自治區赤峰市博物館。

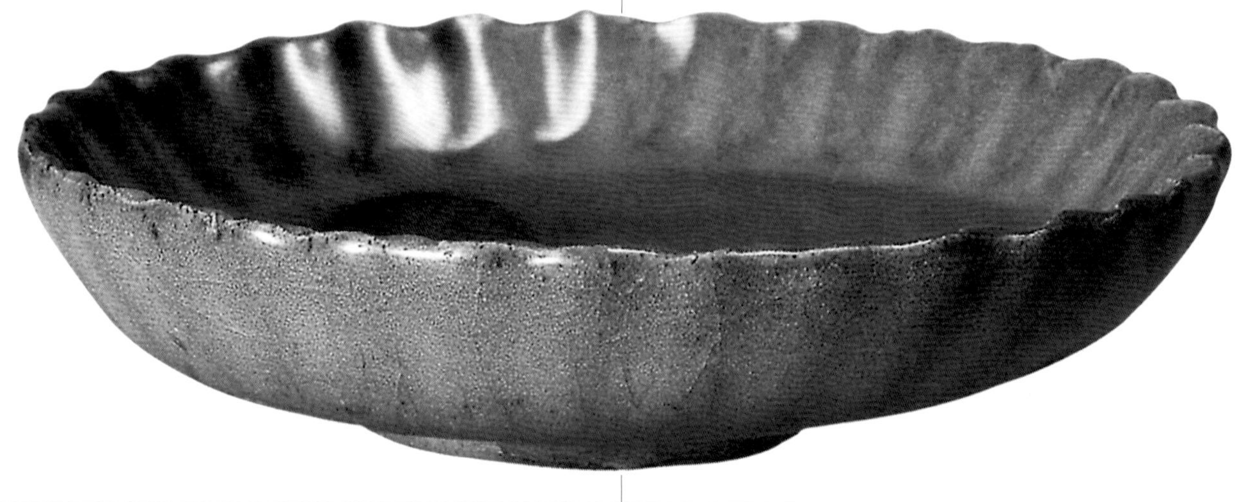

鈞窰紫斑大盆
元
河北保定市東關出土。
高10.9、口徑45.5厘米。
器内有九塊玫瑰紫紅斑。
現藏河北省博物館。

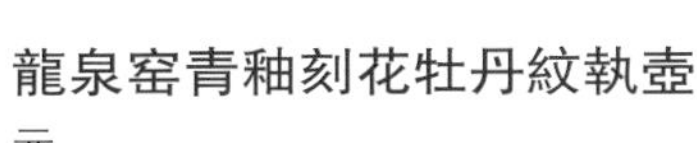

龍泉窰青釉刻花牡丹紋執壺
元
高32厘米。
腹一側有長流，另一側爲曲形長柄。
腹部刻牡丹紋，柄部印串枝花紋。
現藏上海博物館。

龍泉窑青釉纏枝牡丹紋瓶

元
內蒙古呼和浩特市白塔村出土。
高50.4厘米。
細長頸上飾凸弦紋數道，腹上部飾纏枝牡丹紋，腹下部飾尖頭蓮瓣紋。
現藏內蒙古博物院。

龍泉窑青釉纏枝蓮紋瓶

元
內蒙古呼和浩特市白塔村出土。
高50.4、口徑26厘米。
頸上部刻弦紋，中部堆貼牡丹花紋，腹上部飾纏枝蓮紋，腹下部飾尖頭蓮瓣紋。
現藏內蒙古博物院。

龍泉窑青釉玉壺春瓶

元
浙江泰順縣新浦鄉元代窑藏出土。
高26.5厘米。
撇口，長頸，橢圓腹。
現藏浙江省泰順縣博物館。

龍泉窑青釉褐斑玉壺春瓶

元
高27.4厘米。
撇口，長頸，垂腹。瓶身點飾褐斑。
現藏日本大阪市立東洋陶瓷美術館。

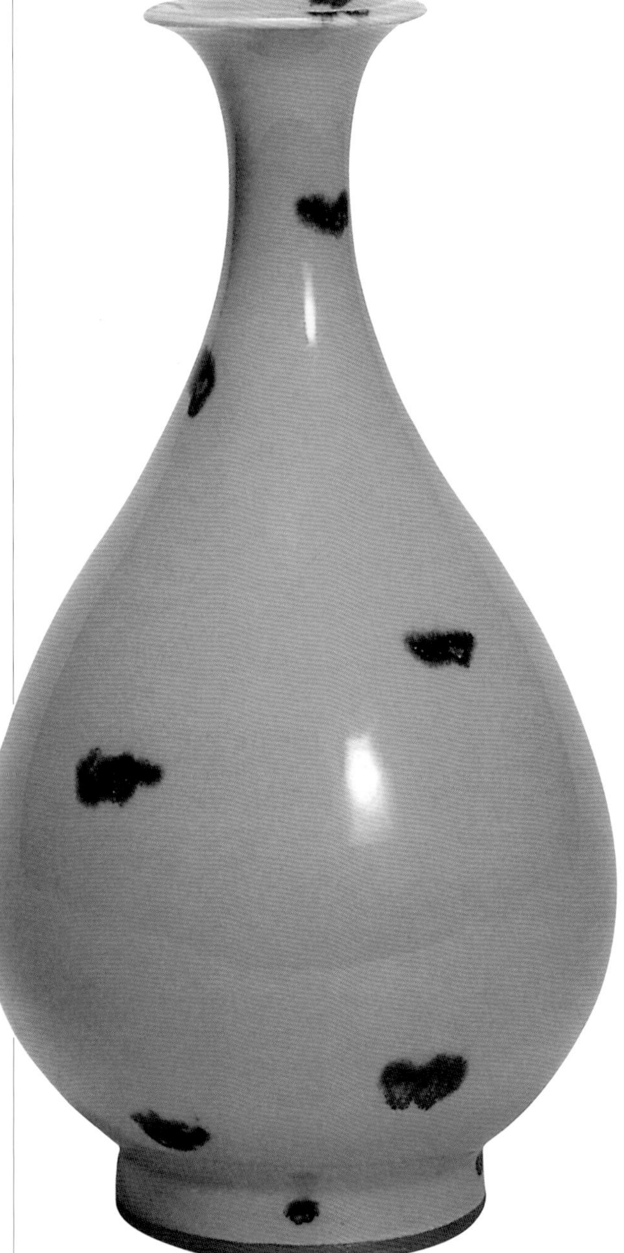

龍泉窑青釉玉壺春瓶

元

安徽合肥市陳聞墓出土。

高33.8厘米。

瓶身飾回紋、葉紋、纏枝牡丹紋和變形蓮瓣紋。

現藏安徽省博物館。

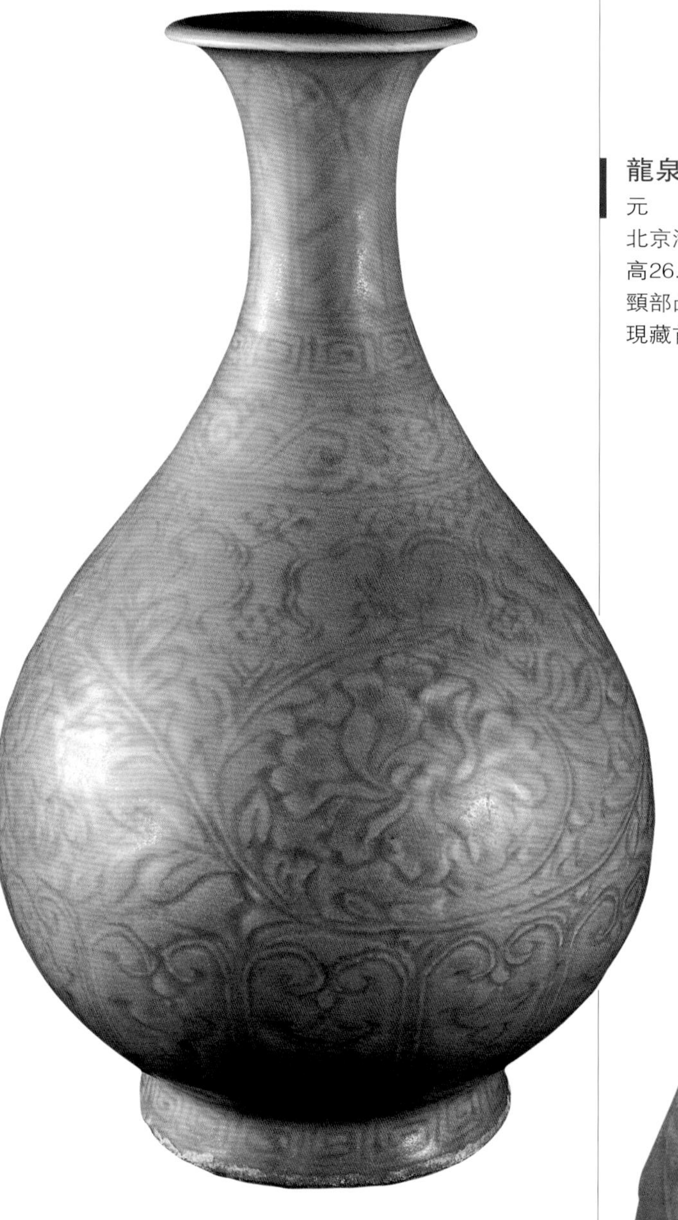

龍泉窑青釉印花海水雲龍紋瓶

元

北京海淀區元墓出土。

高26.5厘米。

頸部凸現弦紋三道，腹部主體紋飾爲海水雲龍紋。

現藏首都博物館。

龍泉窑青釉鏤空纏枝花卉紋瓶

元

高19厘米。

侈口，細頸。腹部鏤刻纏枝花卉紋。

現藏上海博物館。

龍泉窑青釉刻花清香美酒瓶

元

高47厘米。

頸部及上腹部刻幾何形花朵紋并書“清香美酒”四字，下腹部刻劃纏枝蓮花紋。

現藏英國倫敦維多利亞和阿爾伯特國立博物院。

龍泉窑青釉葫蘆形瓶

元

浙江青田縣百貨公司工地元代窑藏出土。

高30厘米。

器呈葫蘆形。直口。

現藏浙江省青田縣文物管理委員會。

龍泉窑青釉葫蘆瓶

元
高33.9厘米。
器呈葫蘆形，侈口。
現藏上海博物館。

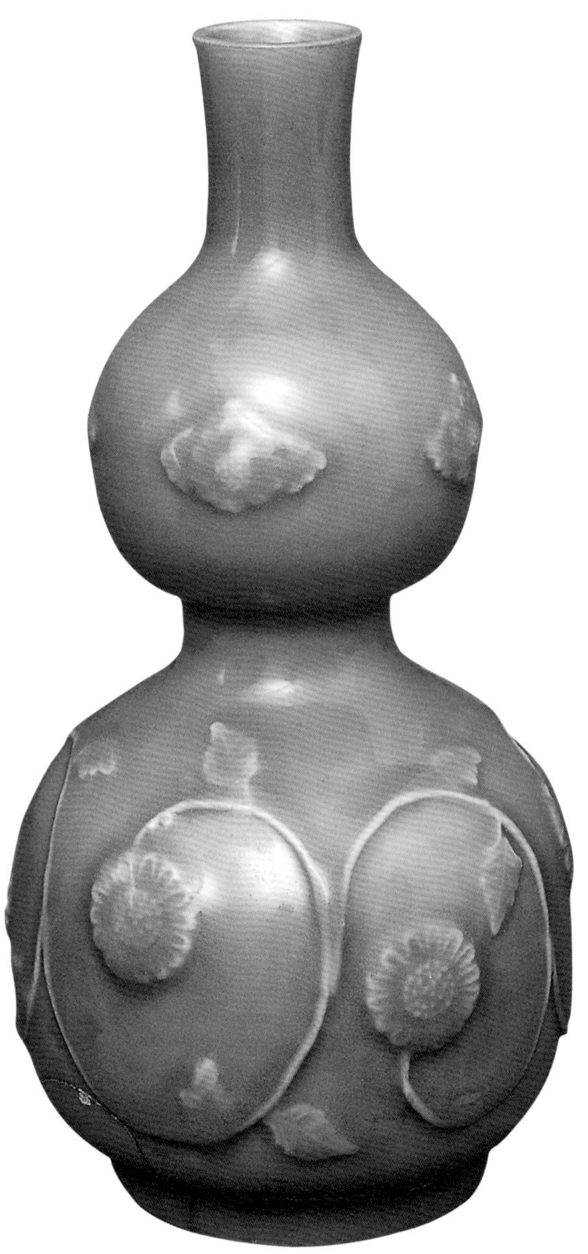

龍泉窑青釉貼花葫蘆瓶

元
高26.8厘米。
器呈葫蘆形。上腹飾四組菱形菊花圖案，下腹飾纏枝菊花紋。
現藏山西省大同市博物館。

龍泉窑青釉褐斑環耳瓶

元

高15.2、口徑4.6厘米。

頸、肩部附兩環耳。瓶口、腹部、雙耳和足部點加褐斑。

現藏上海博物館。

龍泉窑青釉尊式瓶

元

高21.6、口徑13.5厘米。

器型仿古青銅器，喇叭口，圈足，

頸、腹、足壁堆飾扉棱。

現藏浙江省博物館。

龍泉窑青釉模印龍鳳紋雙耳瓶

元

北京昌平區劉通墓出土。

高21.6、口徑8.6 厘米。

頸肩部塑對稱雙環耳，腹部飾龍鳳紋。

現藏首都博物館。

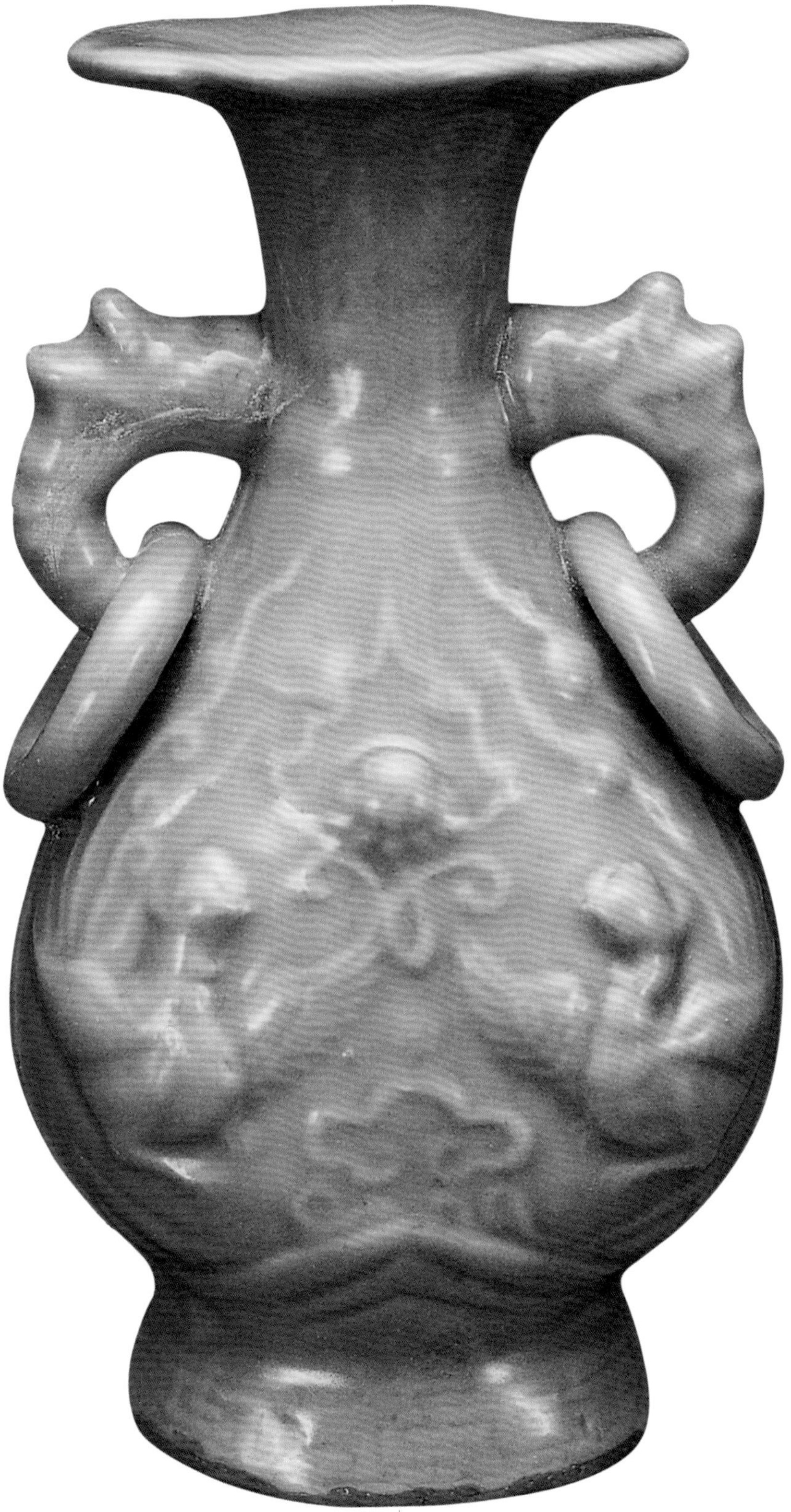

龍泉窑青釉雙鳳耳瓶

元

浙江松陽縣出土。

高27、口徑10.4厘米。

盤口，長頸，折肩，筒形腹。頸部貼一對鳳耳。

現藏浙江省松陽縣文物管理委員會。

龍泉窑青釉雙環耳瓶

元

高26、口徑9.6厘米。

頸部飾雙環耳，腹部貼纏枝牡丹紋。

現藏浙江省博物館。

龍泉窑青釉帶座長頸瓶

元

浙江青田縣百貨公司工地元代窑藏出土。

瓶高20厘米、座高8.2厘米。

瓶直口，長頸，圓腹，圈足，下接四面鏤孔器座，座四足爲如意頭式。

現藏浙江省青田縣文物管理委員會。

龍泉窑青釉連座琮式瓶

元

浙江龍泉市道太鄉供村出土。

高14.3、口徑2.6厘米。

瓶分上下兩段，上部仿玉琮式，下作方形座。座面上部飾對稱捲草紋，中間飾如意雲頭紋，近底處有穿孔。

現藏浙江省龍泉市博物館。

龍泉窑青釉暗花菱花口盤

元

江蘇金壇市出土。

高5.5、口徑32.6厘米。

菱花口，盤心模印折枝牡丹紋。

現藏江蘇省鎮江博物館。

龍泉窑青釉刻雙魚紋盤

元

口徑40.7厘米。

口沿貼飾朵花，内腹壁飾纏枝花紋，盤心飾雙魚紋。

現藏土耳其伊斯坦布爾托布卡博物館。

龍泉窑青釉貼花雲鳳紋盤

元

高3.2、口徑16.7厘米。

菊瓣形口，内底心貼飾菊花紋，四周飾對稱的鳳紋與雲紋。

現藏上海博物館。

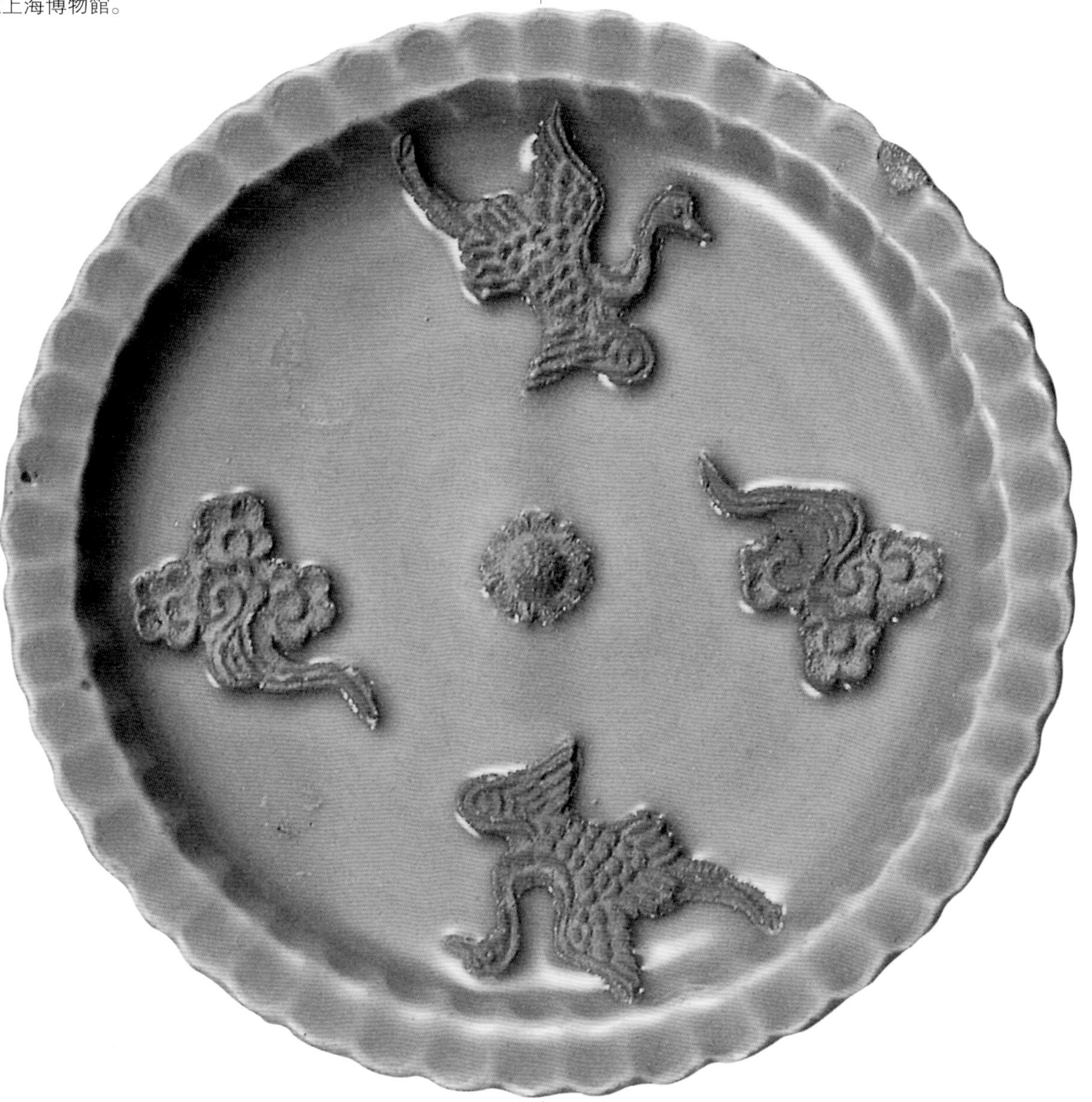

龍泉窑青釉貼印雲龍紋洗

元

口徑43.2厘米。

器物以露胎貼花技法在口沿和内底分别装飾朵花和雲龍戲珠紋，内壁刻波濤紋。

現藏英國倫敦大學亞非學院斐西瓦樂・大維德中國美術館。

龍泉窑青釉雙魚紋洗

元

高4.7、口徑15.6厘米。

内壁刻劃水波紋，盤底貼飾兩游魚。

現藏上海博物館。

龍泉窑青釉印花雙魚紋八角碗

元

高9.3、口徑17.4厘米。

碗呈八角形，外壁八面開光内飾人物、花樹等圖案，内壁飾鳳、鶴、孔雀紋及荷花紋，内底模印雙魚紋。

現藏廣東省博物館。

龍泉窑青釉印花雙魚紋八角碗内底

龍泉窑青釉荷葉蓋罐

元
江蘇溧水縣出土。
高30、口徑24厘米。
荷葉形蓋。蓋及器身飾弦紋數道。
現藏江蘇省溧水縣博物館。

龍泉窑豆青釉條紋荷葉蓋罐

元
江西南昌市出土。
高28.4、口徑25.5厘米。
荷葉形蓋，蠶形鈕。全器滿飾竪向條紋。
現藏江西省博物館。

龍泉窑青釉龍鳳紋荷葉蓋罐

元

上海南匯區出土。

高28.6、口徑24.8厘米。

荷葉形蓋。器蓋飾鳳紋和雲紋，器身飾雲龍戲珠及三朵雲紋。

現藏上海博物館。

龍泉窑青釉匜

元
浙江泰順縣南浦村窖藏出土。
高6.3、口徑15.3厘米。
圓口，一邊帶方形流。腹間有兩道弦紋。
現藏浙江省泰順縣博物館。

龍泉窑青釉鼓釘爐

元
高7.1、口徑14.5厘米。
外口沿及腹底各有一圈六瓣花形鼓釘，腹部對稱貼鋪首兩個，下承三獸頭足。
現藏浙江省龍泉市博物館。

龍泉窑青釉三足爐

元

內蒙古察哈爾右翼前旗土城子出土。

高11.3、口徑13.8厘米。

平口，折沿，直頸，鼓腹，下承三乳狀足。

腹部及足部出筋。

現藏內蒙古博物院。

吉州窑彩繪蓮荷雙魚紋盆

元

江西吉安市吉州窑址出土。

高6.7、口徑25.3厘米。

外腹壁飾捲草紋三朵，內腹壁飾蓮荷紋，

盆心繪雙魚紋，四周繪弦紋三道。

現藏江西省博物館。

吉州窑彩繪波濤紋爐

元

江西新干縣出土。

高17.2、口徑20.6厘米。

敞口平折唇，梯形腹，高圈足。腹中部塑一道腰箍，唇部飾纏枝紋，腹部飾波浪紋，腰箍爲蓮紋，脛部飾幾何形錦紋，圈足繪回紋及“S”形紋。

現藏江西省博物館。

吉州窑花釉圓圈紋梅瓶（右圖）

元

江西永新縣禾川鎮元代窑藏出土。

高20.1厘米。

通體以窑變花釉爲地，再以黑釉繪圈點紋。

現藏江西省博物館。

吉州窑黑彩繪花雲紋瓶

元

江西樟樹市出土。

高23、口徑7厘米。

頸部繪回紋一周，瓶身繪螺旋狀雲紋。

現藏江西省樟樹市博物館。

吉州窑黑花雙魚耳瓶

元

高44.2厘米。

頸部兩側有魚形耳。口部與頸部爲黑地白花，頸部飾蓮花和蓮葉紋。腹部飾白地黑花蔓草紋，腹兩側有菱花形開光，内繪海波紋。

現藏英國倫敦大英博物館。

吉州窑白地黑花捲草紋瓶

元

高18.7厘米。

翻唇口，細長頸，圓腹，圈足。瓶身主體紋飾爲捲草紋。

現藏英國倫敦維多利亞和阿爾伯特國立博物院。

金溪窑青釉刻花牡丹蕉葉紋瓶

元

江西撫州市出土。

高64、口徑18厘米。

荷葉形花口，長頸，長鼓腹，矮圈足。肩部刻纏枝紋，腹部飾牡丹紋，瓶底飾纏枝牡丹紋。

現藏江西省博物館。

海康窑褐彩鳳鳥紋荷葉蓋罐

元

高31.2、口徑9.6厘米。

荷葉形蓋。罐身飾如意雲頭紋、雙鳳四鵲菊花紋、連綫紋、折枝菊花菱形開光、捲草紋和折枝花卉團扇形開光。

現藏廣東省博物館。

黑釉褐彩玉壺春瓶（右圖）

元

高27.4、口徑6.8、足徑8.7厘米。

器身施黑釉，上以褐彩繪花草及弦紋。

現藏上海博物館。

黑釉褐彩花卉紋瓶

元

高23.1、口徑3.5、足徑9.5厘米。

通體施黑釉，以褐彩在肩部繪兩朵花卉紋。

現藏上海博物館。

藍釉描金匜

元

河北保定市永華路出土。

高4.5、長17厘米。

敞口，裏心描金綫圈內繪折枝花葉紋。槽形流，流下有環繫，內壁繪五朵流雲紋。

現藏故宮博物院。

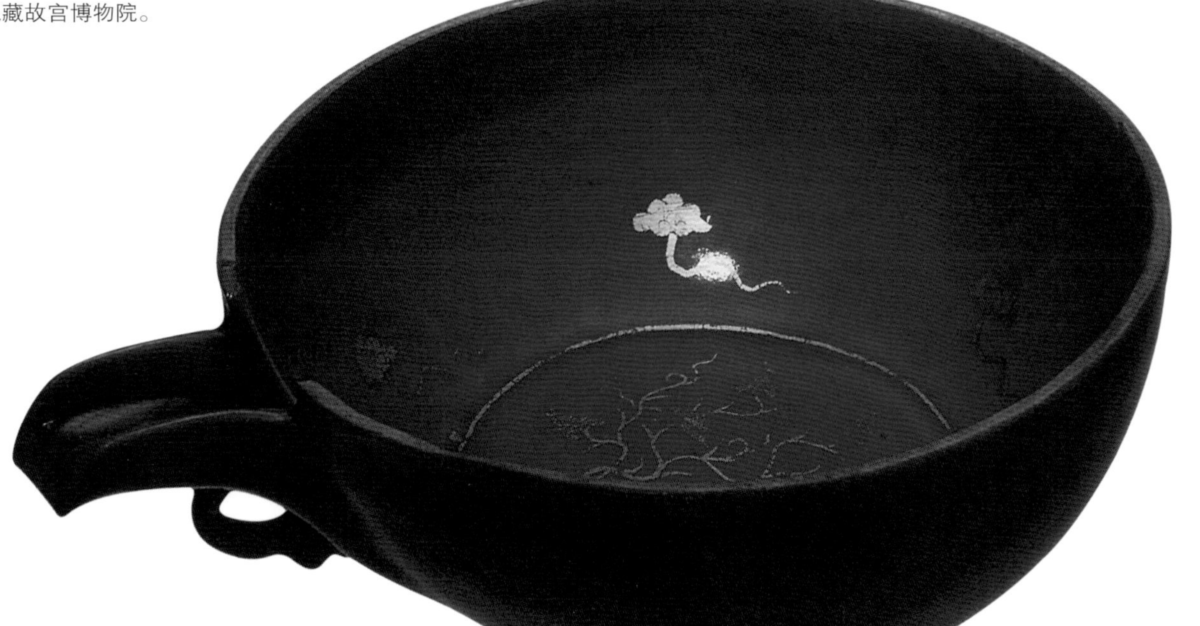

青花雲龍紋梅瓶

明・洪武

高37、口徑6.2厘米。

主體紋飾爲青花雲龍紋，龍奔騰在雲海間。

肩部龍身中部下凹處書“春壽”篆款。

現藏上海博物館。

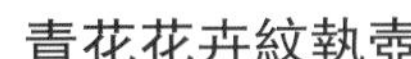

青花花卉紋執壺

明・洪武

高37.8、口徑7.7厘米。

有蓋、長流及彎柄，蓋頂及柄頂各有一小繫。壺體及柄、流、蓋均滿繪紋飾。

現藏故宮博物院。

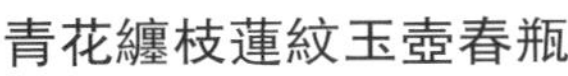

青花纏枝蓮紋玉壺春瓶

明・洪武

高32.2、口徑8.7厘米。

頸部飾蕉葉紋，腹部飾纏枝蓮紋。

現藏故宮博物院。

青花纏枝花紋碗

明・洪武

高10、口徑20.5厘米。

内外口沿及足部繪回紋一周，内壁繪纏枝蓮紋，内心繪折枝牡丹，外壁繪纏枝菊紋。

現藏故宫博物院。

青花纏枝花卉紋碗

明・洪武

口徑41.4厘米。

外壁飾纏枝菊紋，内壁飾纏枝蓮紋。

現藏英國倫敦大英博物館。

青花雲龍暗龍紋盤

明・洪武
高3.2、口徑14.4厘米。
盤心雙圈內繪三組朵雲紋，盤內壁白釉處暗刻雲龍紋。
盤外壁繪雲龍紋。
現藏故宮博物院。

青花牡丹四季花卉紋盤

明・洪武
高8.4、口徑45.6厘米。
盤心繪牡丹、石榴、茶花及菊花等花卉紋飾。
現藏故宮博物院。

青花八出開光牡丹紋菱花口盤

明·洪武
江西景德鎮市珠山出土。
高8.6、口徑46.5厘米。
口沿下繪捲草紋一周，盤心八出垂雲開光，內繪折枝牡丹紋。
現藏江西省景德鎮市陶瓷考古研究所。

青花竹石靈芝紋盤

明·洪武
高8.1、口徑46厘米。
外壁繪纏枝菊紋及蓮瓣紋，內壁飾折枝牡丹、石榴和菊花紋，盤心繪竹石和石榴樹。
現藏故宮博物院。

青花錦地垂雲蓮紋盤

明・洪武

江西景德鎮市珠山出土。

高9.3、口徑47.5厘米。

盤心飾四垂雲組成的菱形，中間飾蓮花。

盤內、外壁繪纏枝花卉紋。

現藏江西省景德鎮市陶瓷考古研究所。

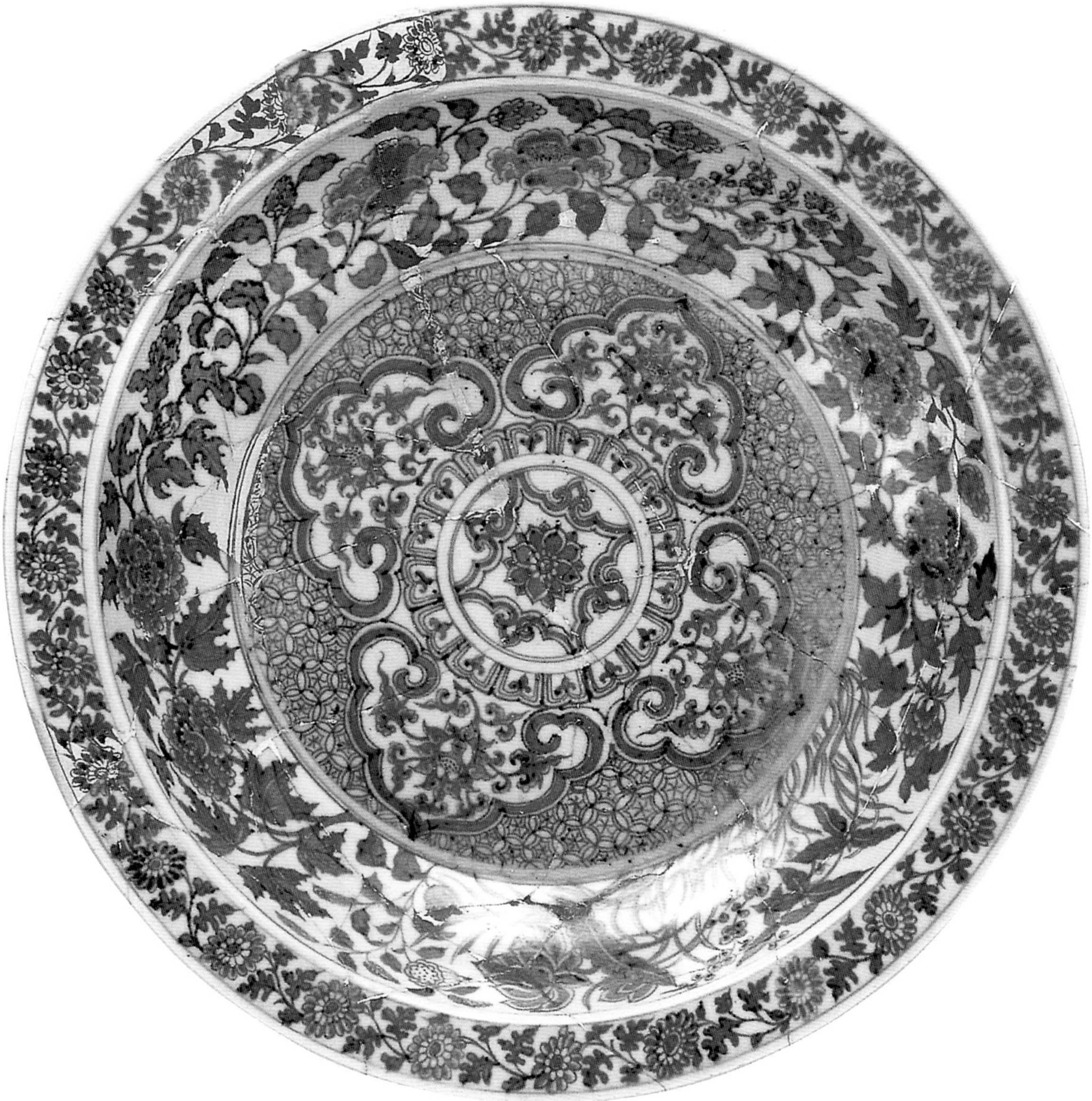

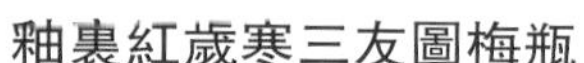

釉裏紅歲寒三友圖梅瓶

明・洪武

江蘇南京市江寧區出土。

高41.6、口徑6.4厘米。

覆盅形蓋，寶珠狀鈕。蓋繪纏枝蕃蓮，口外飾蕉葉紋，肩部繪纏枝菊花，腹部繪松、竹、梅"歲寒三友"，脛部繪波浪紋及蓮瓣紋。

現藏南京博物院。

釉裏紅雲龍紋環耳瓶

明・洪武
高45.5、口徑10.9厘米。
雙耳爲獸面銜柱狀，耳下有環，腹部飾龍紋。
現藏上海博物館。

釉裏紅纏枝牡丹紋執壺

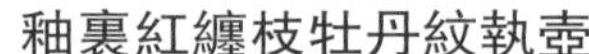

明・洪武

高32、口徑7.3厘米。

腹部塑長流及彎柄。壺身滿繪紋飾，腹部爲纏枝牡丹紋。

現藏故宮博物院。

釉裏紅松竹梅紋玉壺春瓶

明・洪武

高33、口徑8.8厘米。

口沿内飾忍冬紋，頸飾蕉葉紋、回紋和忍冬紋，腹飾松竹梅紋和洞石、蕉葉紋，近足處飾蓮瓣紋。

現藏故宮博物院。

釉裏紅纏枝菊紋大碗

明・洪武

高16.2、口徑40.4厘米。

外壁繪纏枝菊紋，内壁繪纏枝牡丹、蓮、菊相間。

現藏上海博物館。

釉裏紅菊花紋盤

明・洪武

高9、口徑47.1厘米。

盤内心飾折枝菊花紋，内壁飾纏枝牡丹紋，折沿飾纏枝花紋，外壁飾纏枝菊花紋和蓮瓣紋。

現藏故宫博物院。

釉裏紅折枝花卉紋菱花口盤

明・洪武

高8.6、口徑45厘米。

菱形花口，折邊，飾有一圈海水紋，瓣形盤壁内外均飾對稱蓮花圖案，盤心繪折枝牡丹紋。

現藏江西省景德鎮陶瓷歷史博物館。

釉裏紅四季花卉紋蓋罐

明・洪武

高53、口徑26.5厘米。

荷葉形蓋，瓜棱形器身。從蓋至足部飾十五層紋飾，腹部飾串枝四季花卉紋。

現藏首都博物館。

釉裏紅四季花卉紋罐

明・洪武

高48.8、口徑25.8、底徑22.1厘米。

罐呈瓜棱狀。口沿下部繪回纹及如意云头纹，腹部飾串枝四季花卉紋。

現藏上海博物館。

青花竹石芭蕉紋帶蓋梅瓶

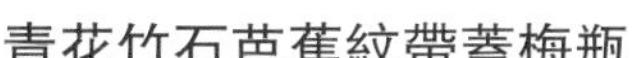

明・永樂

高40.7、口徑5.5厘米。

覆盅形蓋，寶珠鈕。蓋繪折枝花卉紋，肩部飾一周雲頭紋，腹部飾以竹石芭蕉，脛部繪蓮瓣紋一周，近底部有一圈蔓草紋。

現藏故宮博物院。

青花“内府”銘帶蓋梅瓶

明・永樂

高34厘米。

肩部青花書“内府”二字，蓋部飾纏枝花。

現藏日本大阪市立東洋陶瓷美術館。

青花桃竹紋梅瓶

明・永樂

高36.7、口徑6.6厘米。

肩部繪如意雲頭紋，腹部繪碧桃竹紋，足部繪纏枝靈芝紋，三組紋飾以弦紋隔開。

現藏故宫博物院。

青花竹石芭蕉紋玉壺春瓶

明・永樂

高32.8、口徑8.2厘米。

頸部飾蕉葉紋、捲枝紋和如意雲頭紋，腹部飾竹石蕉葉紋和花草欄杆等。

現藏故宮博物院。

青花海水白龍紋天球瓶

明・永樂

高53.4厘米。

口沿下繪捲草紋一周，瓶身其它部位滿飾海水波濤紋，腹部飾一條似暗花的白龍。

現藏土耳其伊斯坦布爾托布卡博物館。

青花花草紋雙耳扁瓶

明·永樂

高29.9厘米。

小口細頸，頸部兩側有雙耳。頸部飾蕉葉紋，頸、肩外和近底處飾蓮瓣紋，腹部一面繪石竹圖，另一面繪菊花圖。

現藏土耳其伊斯坦布爾托布卡博物館。

青花纏枝花紋雙耳扁瓶

明・永樂

高30、口徑3.7厘米。

頸部兩側有雙耳。頸部飾纏枝花紋，頸、肩處飾覆蓮瓣紋，腹部繪滿纏枝花卉紋，下腹部飾小折枝花。

現藏河北省承德市避暑山莊博物館。

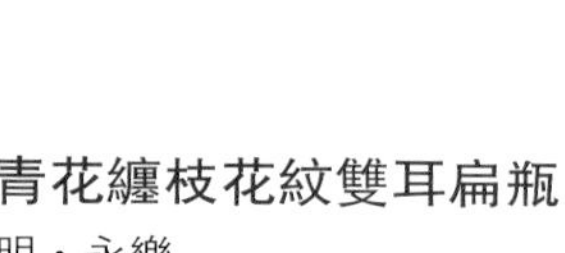

青花纏枝花紋雙耳扁瓶

明・永樂

高28.9、口徑3.7厘米。

肩部安如意形雙耳，腹部兩側面凸起處繪菊瓣紋。通體繪纏枝花紋。

現藏故宮博物院。

青花錦紋雙耳扁瓶

明·永樂

高27.8、口徑3.7厘米。

肩部安如意形雙耳，腹部兩側面凸起菊瓣形花朵。

通體以錦紋爲主體紋飾。

現藏故宮博物院。

青花錦地花卉紋壯罐

明・永樂

高28.5、口徑12.5厘米。

頸部繪海浪紋，肩、脛部繪纏枝花紋，腹部飾錦紋，足部飾幾何紋。

現藏故宮博物院。

青花纏枝蓮紋藏草壺

明・永樂

高20.5、口徑6.5厘米。

盤口，束頸，下承覆盤式托。腹、頸部飾纏枝牡丹花紋，流飾纏枝花紋，座托飾變體回紋、仰蓮紋和如意雲頭紋等。

現藏故宮博物院。

青花折枝花紋執壺

明・永樂

高36、口徑7.8厘米。

頸部一側置方形流，對側置曲柄。頸上飾纏枝牡丹紋，肩部繪捲草紋及覆蓮瓣紋，腹部繪折枝花紋。

現藏故宮博物院。

青花折枝花果紋執壺

明·永樂

高29.3厘米。

流與頸以雲形橫板相連，頸飾蕉葉紋和一周纏枝蓮紋，腹部兩側開光内分别繪折枝桃和枇杷，開光外滿繪折枝花紋。

現藏故宫博物院。

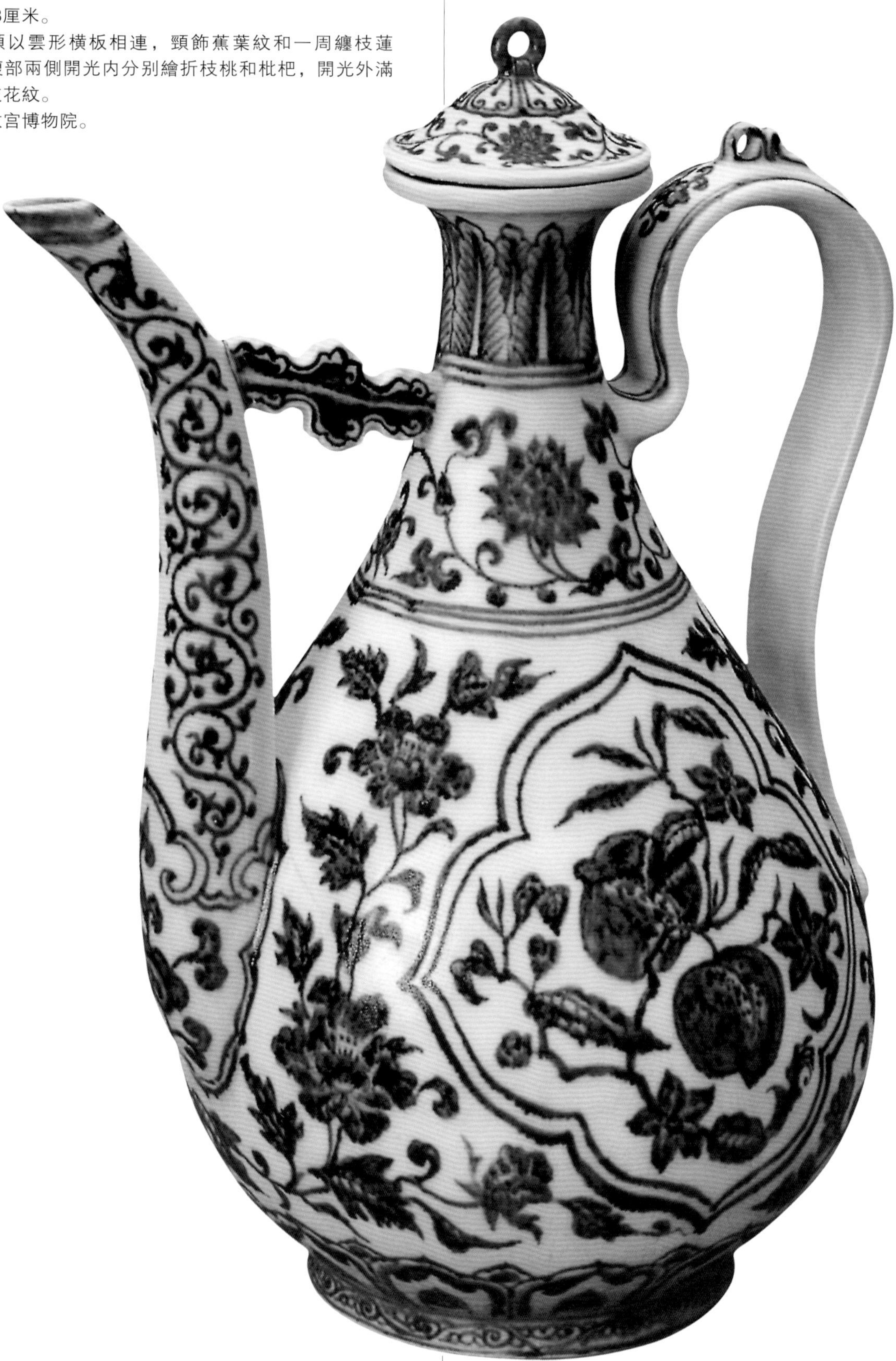

青花纏枝紋雙繫扁壺

明・永樂

高54、口徑6.5厘米。

帶蓋，壺體一面扁平，一面凸起，肩部兩側對飾雙環繫。腹部側面繪纏枝花卉紋，正面繪三層紋飾，分別爲波浪紋、纏枝花紋和八角星紋。

現藏故宮博物院。

青花纏枝蓮紋雙環耳扁壺

明・永樂

高46、口徑7厘米。

壺體一面扁平，中心凹進，另一面隆起形如龜背，肩部對置雙環。通體飾海水紋和纏枝蓮花紋。

現藏故宮博物院。

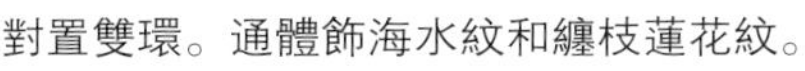

青花纏枝蓮紋壓手杯

明・永樂
高5.2、口徑9.3厘米。
口沿外飾一周五瓣花紋，杯身飾纏枝蓮紋。杯心書“永樂年製”篆書款。
現藏故宮博物院。

青花纏枝牡丹紋碗

明・永樂
高13.7、口徑31厘米。
內腹壁繪折枝花卉，碗心繪折枝荔枝，外腹壁繪纏枝牡丹。
現藏故宮博物院。

青花纏枝蓮紋碗

明・永樂

高9.3、口徑19.6厘米。

口沿内繪一周海水紋，碗内滿飾纏枝花卉紋，口沿外飾連續回紋一周，外壁繪纏枝蓮紋，近底部爲蓮瓣紋，足外部飾忍冬紋。

現藏故宫博物院。

青花金彩蓮紋碗

明・永樂

高6.4、口徑14.9厘米。

内壁施白釉，繪描金蓮花，碗心繪荷花，外壁繪纏枝苜蓿花紋。

現藏故宫博物院。

青花葡萄靈芝紋高足碗

明・永樂

高11.4、口徑17厘米。

碗心繪折枝桃，內壁飾纏枝靈芝，外壁繪折枝葡萄，足部繪纏枝靈芝。

現藏故宮博物院。

青花園景花卉紋盤

明・永樂

高8.5、口徑63.5厘米。

內外壁皆繪四季花卉，盤心爲山石、松樹和竹等組成的園景圖。

現藏故宮博物院。

青花枇杷果綬帶鳥紋盤

明·永樂

口徑50.5厘米。

花瓣形口。內口沿飾纏枝菊紋，外口沿下飾水浪紋，內外腹壁呈十六個花瓣形，內繪不同的折枝果，內底繪一隻綬帶鳥立于枇杷樹枝上，欲銜果實。

現藏日本大阪市立東洋陶瓷美術館。

青花葡萄紋盤

明・永樂
高8.2、口徑45厘米。
花瓣形口，內壁繪纏枝花卉，盤心飾折枝葡萄，
外壁飾十二朵不同的折枝花。

現藏首都博物館。

青花折枝瓜果紋盤

明・永樂

高7、口徑37.8厘米。

盤心飾瓜果，内壁飾纏枝花卉紋，口沿有海浪紋，外壁繪折枝海棠、銀杏、鮮桃、荔枝、葡萄和石榴等紋飾。

現藏故宫博物院。

青花纏枝蓮紋折沿盆

明・永樂

高13.9、口徑31.6厘米。

口邊爲海浪紋，内壁繪纏枝茶花、牡丹和蓮花紋，内底心爲海水團花紋，外壁飾纏枝蓮紋。

現藏故宫博物院。

青花阿拉伯文無擋尊

明・永樂
高17.2厘米。
造型仿西亞地區銅器。上下沿面繪變體蓮瓣紋，座身凸棱處繪蓮瓣紋，上下部位各書一周阿拉伯文字。現藏故宮博物院。

青花雲龍紋洗

明・永樂
高3.5、口徑15.7厘米。
洗呈菱瓣形。内底繪雲龍紋，外壁繪十團龍紋。現藏首都博物館。

青花海水江牙紋三足爐

明・永樂

高57.9、口徑37.8厘米。

圓口方唇，短頸鼓腹，肩部飾朝天戟耳，下承三獸足。頸部飾凸鼓釘，通體繪海水江牙紋。

現藏故宮博物院。

青花蓮蓬漏斗

明・永樂

高16.6、口徑12.6厘米。

形似一帶柄蓮蓬，斗管釉層肥厚，開大片紋。內壁青花繪纏枝蓮紋，外壁飾條帶紋和一周錢紋。

現藏中國國家博物館。

青花纏枝蓮紋八角燭臺

明・永樂

高38.5、口徑9厘米。

燭臺八方式，平底中空。燭插繪蕉葉紋、回紋及蓮瓣紋，支柱飾錦紋和纏枝花，臺座繪海水、蓮瓣紋及纏枝蓮紋，燭插和底座邊繪回紋一圈。

現藏故宮博物院。

青花勾蓮紋八角燭臺

明・永樂

高29.8、口徑8.7厘米。

通體飾折枝花卉、水波、蓮瓣、纏枝菊等共十層紋飾。

現藏上海博物館。

白釉暗花龍紋梨形壺

明・永樂
北京西城區新街口外出土。
高12.3、口徑3.2厘米。
腹部暗刻雲龍紋。
現藏首都博物館。

白釉僧帽壺

明・永樂
高19.7、足徑7.5厘米。
一側塑鴨嘴狀流，對側塑寬帶形曲柄，附圓鈕蓋。
現藏故宮博物院。

白釉暗花纏枝蓮紋碗

明・永樂

高8.7、口徑18厘米。

内壁印暗花纏枝蓮紋。

現藏江蘇省常熟博物館。

白釉四繫罐

明・永樂

高17.2、口徑10.7厘米。

肩上對稱置四個圓環形小繫。

現藏故宫博物院。

白釉暗花紋梅瓶（右圖）

明·永樂

高24.8、口徑4.5、足徑10厘米。

外壁釉下細綫刻劃紋飾三組，肩部爲捲枝紋，腹部爲纏枝蓮紋，脛部爲折枝蓮紋。

現藏故宫博物院。

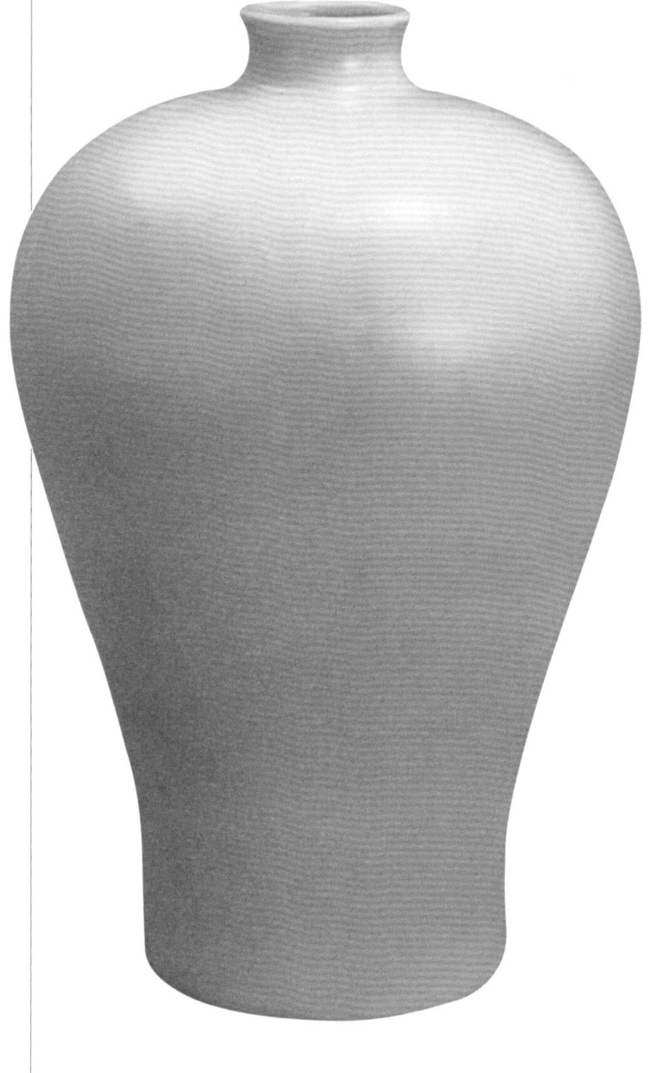

白釉三壺連通器

明·永樂

江西景德鎮市珠山明御廠遺址出土。

高31.2厘米。

口作杯形，杯底有花形篩孔，有三扁管與三個帶圈足的球狀器皿相連通。

現藏江西省景德鎮市陶瓷考古研究所。

青白釉暗花纏枝蓮紋碗

明・永樂
高6.1、口徑15.6厘米。
外壁釉下刻雙勾纏枝蓮紋。
現藏故宮博物院。

青釉高足碗

明・永樂
高11.3、口徑16厘米。
足上部起竹節棱。
現藏故宮博物院。

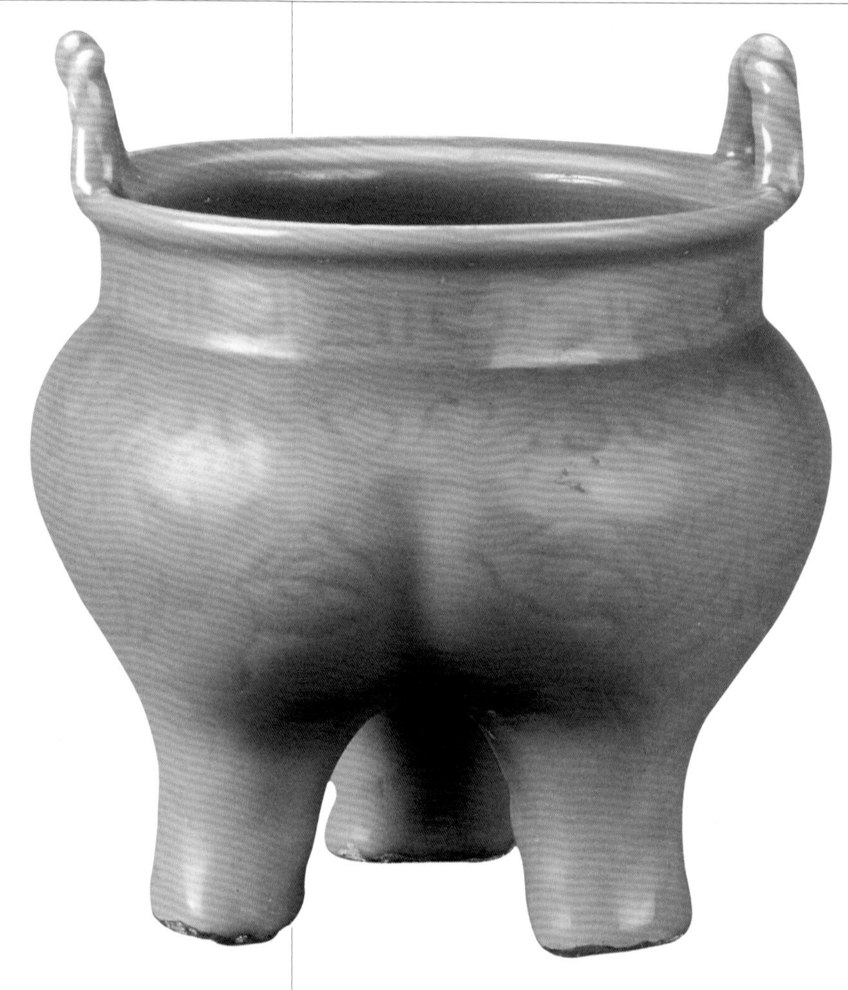

青釉三足爐

明・永樂
北京昌平區出土。
高22.7、口徑18.4厘米。
繩紋雙繫耳。釉下刻劃紋飾，頸部飾回紋一周，肩部飾捲草紋，三足分別飾桃、柿子和石榴。
現藏首都博物館。

翠青釉碗

明・永樂
湖北武漢市龍泉山明楚昭王墓出土。
高5.5、口徑11.8厘米。
釉色青潤，足底無釉。
現藏湖北省武漢市博物館。

翠青釉三繫蓋罐

明・永樂
高10.4、口徑9.9厘米。
肩上貼等距三海棠形托繫。
現藏故宮博物院。

紅釉暗龍紋高足碗

明・永樂
高9.9、口徑15.8厘米。
碗內印有暗花雲龍紋，碗心刻一朵葵花，花心內有“永樂年製”四字篆書款。
現藏故宮博物院。

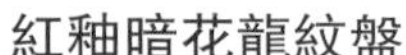

紅釉暗花龍紋盤

明・永樂

高3.5、口徑14.9厘米。

盤内壁暗刻兩條行龍，盤心刻劃如意雲頭三朵。

現藏上海博物館。

紅釉暗花龍紋盤盤心

青花纏枝花卉紋梅瓶

明・宣德

高53.1厘米。

肩部飾蓮瓣紋，瓶身飾纏枝牡丹和菊花，近底處飾蓮瓣紋。肩部書青花“大明宣德年製”楷書款。

現藏故宮博物院。

青花牽牛花紋委角瓶

明・宣德

高14、口徑5.5厘米。

方腹委角，頸兩側各安二象首耳。器身繪青花牽牛花。底書青花雙圈“大明宣德年製”楷書款。

現藏故宮博物院。

青花纏枝四季花紋玉壺春瓶

明・宣德

高26.7厘米。

瓶自上而下紋飾爲雲肩花卉紋、回紋、捲草紋、纏枝四季花卉紋及如意雲頭紋。

現藏故宮博物院。

青花纏枝花紋貫耳瓶

明・宣德

高19、口徑4.5厘米。

頸部兩側各塑一貫耳，臺階式圈足底。頸飾海水浪花紋，中部及貫耳飾回紋一周，肩及近足部飾蕉葉紋，腹部爲纏枝花卉紋。底足内書“大明宣德年製”楷書款。現藏故宮博物院。

青花纏枝蓮紋瓶

明・宣德

高19.8、口徑3.8厘米。

口沿下繪朵梅紋一周，頸、腹部繪纏枝蓮花紋，足部繪忍冬紋一周。口沿下横書“大明宣德年製”楷書款。現藏故宮博物院。

青花雲龍紋天球瓶

明・宣德

高43.2、口徑9.4厘米。

外口飾忍冬紋一周，頸部飾朵雲紋，腹部飾海水雲龍紋。

現藏故宮博物院。

青花纏枝花紋天球瓶

明・宣德

高46、口徑8.9厘米。

頸部飾纏枝蓮紋，頸下部飾上仰變形如意雲頭紋，雲頭内繪花蕾。腹部飾纏枝花卉紋。肩部有青花横書“大明宣德年製”楷書款。

現藏故宫博物院。

青花海水白龍紋扁瓶

明・宣德

高45.8厘米。

頸部繪捲草、纏枝蓮紋各一道。瓶身滿飾海水波濤，兩側各有一條白龍，奮爪騰身。

現藏故宫博物院。

青花雲龍紋扁瓶

明・宣德

高45.8厘米。

頸部繪纏枝紋，腹部兩面飾形態相同的行龍，龍周圍繪流雲紋。

現藏故宫博物院。

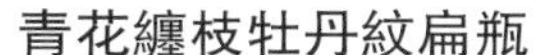

青花纏枝牡丹紋扁瓶

明·宣德

高51.2厘米。

頸部飾纏枝靈芝紋，腹部飾纏枝牡丹紋。肩部橫書青花“大明宣德年製”楷書款。

現藏英國倫敦大英博物館。

青花折枝茶花紋雙耳扁瓶

明·宣德

高25厘米。

頸肩部如意形雙耳。頸部繪纏枝花卉紋，肩部繪覆蕉葉紋，腹部兩側均繪折枝茶花紋。

現藏故宮博物院。

青花寶相花紋雙耳扁瓶

明・宣德

高29.9厘米。

葫蘆形瓶，上部爲圓形，下部扁圓，頸肩部塑有綬帶雙耳。口沿下繪纏枝花紋，腹部兩面繪寶相花。口沿下横書青花“大明宣德年製”楷書款。

現藏故宫博物院。

青花夔龍紋罐

明・宣德

高19、口徑15.8厘米。

頸部繪如意雲頭紋，肩飾朵花及勾雲，腹部爲龍紋，近底處爲蓮瓣紋。底書青花雙圈“大明宣德年製”楷書款。

現藏故宫博物院。

青花纏枝蓮紋蓋罐

明・宣德

高28.5、口徑15.4厘米。

蓋面飾蓮瓣紋及纏枝石榴，肩飾如意雲頭紋，腹部飾纏枝蓮花，底邊飾折枝花。

現藏故宫博物院。

青花纏枝蓮紋蓋罐

明・宣德

高22.7、口徑17厘米。

蓋面飾蓮瓣紋和纏枝石榴紋，肩部和近底處飾蓮瓣紋，腹部飾纏枝蓮紋。底書青花雙圈“大明宣德年製”楷書款。

現藏故宫博物院。

青花雲龍紋蓋罐

明・宣德

高17.5、口徑5厘米。

罐身飾如意雲頭紋、雙龍紋和蓮瓣紋等。底書青花“大明宣德年製”楷書款。

現藏首都博物館。

青花藍查文出戟蓋罐

明・宣德

高28.7、口徑19.7厘米。

直口，有蓋，肩部塑八塊長方形戟。蓋邊、口及肩部繪海水紋，戟面繪蓮瓣紋，蓋内書“大德吉祥場”。腹間飾三層古印度藍查文，上部字間繪西番蓮及蓮托八寶吉祥紋，下部字間繪折枝蓮紋，底邊繪仰蓮瓣紋。

現藏故宫博物院。

青花海水蕉葉紋渣斗

明·宣德

高15.1、口徑16.5厘米。

頸部飾蕉葉紋，肩下爲如意雲頭紋，腹部繪海水江牙紋。足内書青花雙圈“大明宣德年製”楷書款。

現藏故宫博物院。

青花龍蓮紋渣斗

明・宣德

高13.9、口徑16.3厘米。

口、足部繪海浪紋，腹部繪蓮池游龍紋。底書“大明宣德年製”楷書款。

現藏故宮博物院。

青花雙鳳紋長方爐

明・宣德

高19厘米，口長22、寬14厘米。

口沿飾纏枝靈芝，頸部飾小朵花，腹部菱形開光内繪雙鳳穿花，腹及四足繪如意雲頭。口頸部橫書青花“大明宣德年製”楷書款。

現藏故宮博物院。

青花纏枝花紋花澆

明・宣德

高13、口徑7.9厘米。

如意形曲柄。頸飾花瓣紋，腹飾纏枝花卉紋。

腹上部横書青花“大明宣德年製”楷書款。

現藏故宫博物院。

青花捲草紋魚簍尊

明・宣德

高13.5、口徑16.3厘米。

器身飾網格紋、捲草紋。底書青花“大明宣德年製”楷書款。

現藏首都博物館。

青花靈芝紋尊

明・宣德

北京海淀區上莊出土。

高18.5、口徑11厘米。

器呈六瓣瓜棱形。折沿，肩及近足處均繪覆蓮紋一周，腹部飾六朵折枝靈芝紋。

現藏首都博物館。

青花折枝花紋帶蓋執壺（右圖）

明・宣德

高38.8、口徑7.4厘米。

壺有傘形圓蓋，一側置曲柄，一側置方形流。頸部飾纏枝花紋，肩部突起蓮花瓣一周，腹部飾八組蓮花，每組兩朵。

現藏故宮博物院。

青花纏枝花卉紋執壺

明・宣德

高32.5、口徑7.3厘米。

頸部繪回紋、花卉紋和捲草紋，腹部主體紋飾爲纏枝花卉紋，足部飾忍冬紋。

現藏上海博物館。

青花折枝花果紋執壺

明・宣德

高32.1、口徑7.5厘米。

頸飾蕉葉紋，肩繪纏枝花，腹部菱形開光內兩面分別繪折枝桃和枇杷果，近底處繪蓮瓣，足部及長流飾忍冬紋。足內書青花雙圈“大明宣德年製”楷書款。

現藏故宮博物院。

青花纏枝蓮紋茶壺

明・宣德

高15.3厘米。

蓋面繪折枝花紋，肩及足部上飾蓮瓣紋，腹部爲纏枝蓮紋，曲柄飾忍冬紋。流正面書青花雙綫框“大明宣德年製”楷書款。

現藏故宫博物院。

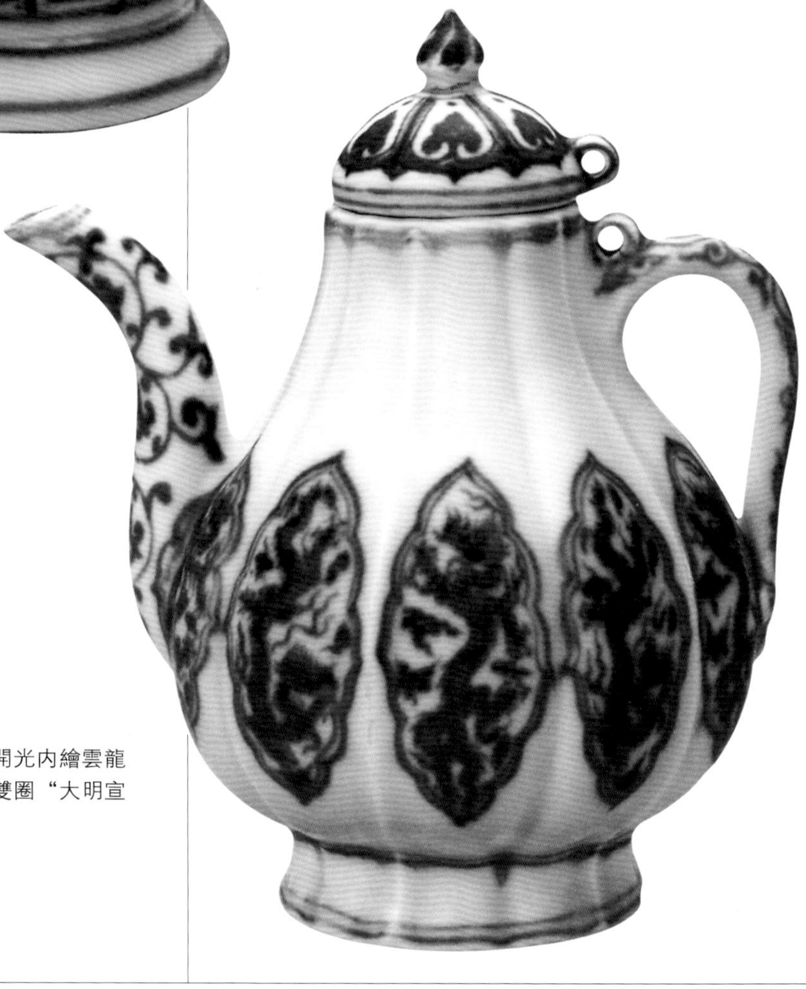

青花雲龍紋瓜棱梨式壺

明・宣德

高13.5厘米。

壺身梨形，通體呈十瓣瓜棱狀。腹部菱形開光内繪雲龍紋，流飾纏枝紋，柄飾忍冬紋。底書青花雙圈“大明宣德年製”楷書款。

現藏故宫博物院。

青花纏枝花紋豆

明・宣德

高14、口徑8厘米。

器身飾青花纏枝花卉紋。口沿下書青花“大明宣德年製”楷書款。

現藏故宮博物院。

青花雲龍紋鉢

明・宣德

高12、口徑26.5厘米。

外口沿下飾海水紋一周，外壁繪二龍戲珠，近底處飾蓮瓣紋一周。裏心書青花雙圈“大明宣德年製”楷書款。

現藏故宮博物院。

青花雲龍紋碗

明・宣德

高10.8、口徑29.4厘米。

碗身飾雲龍、仰蓮和如意雲頭紋。口沿下書青花“大明宣德年製”楷書款。

現藏首都博物館。

青花纏枝蓮紋碗

明・宣德

高10.1、口徑21.3厘米。

碗口弦紋内飾一周朵梅，内壁繪折枝蓮花，碗心繪一折枝牡丹，外壁滿飾纏枝蓮紋，近足部繪蕉葉紋一周。底書青花雙圈“大明宣德年製”楷書款。

現藏故宮博物院。

青花纏枝靈芝紋大碗

明・宣德

高10.3、口徑28.1厘米。

碗內壁光素無紋。外口沿下繪弦紋兩道，外壁飾以纏枝靈芝紋，近足部繪蓮瓣紋一周。口沿處横書青花“大明宣德年製”楷書款。

現藏故宫博物院。

青花人物紋碗

明・宣德

高7.8、口徑18.7厘米。

碗內壁光素無紋，外壁繪四仕女一小童，足外繪忍冬紋。底書青花雙圈“大明宣德年製”楷書款。

現藏故宫博物院。

青花折枝花卉紋合碗

明・宣德

高7.5、口徑17.4厘米。

口沿内外飾弦紋，外壁有六組折枝花卉，下部凸起兩道弦紋，近足部繪蕉葉紋。碗心書青花雙圈“大明宣德年製”楷書款。

現藏故宫博物院。

青花折枝花果紋葵口碗

明・宣德

高8、口徑22.7厘米。

葵瓣狀口，内外壁飾折枝花果紋，圈足繪捲草紋。

現藏上海博物館。

青花八吉祥纏枝蓮花紋高足碗

明・宣德

北京白紙坊明墓出土。

高8.3、口徑15厘米。

外壁飾纏枝蓮花八吉祥紋。碗心書青花雙圈“大明宣德年製”楷書款。

現藏首都博物館。

青花人物紋高足碗

明・宣德

高10.2、口徑15.5厘米。

碗外壁繪仕女賞月圖，襯以山水、花草、樹木等，足柄繪松竹梅。碗心書青花雙圈“大明宣德年製”楷書款。

現藏故宮博物院。

青花纏枝花卉紋高足碗（右圖）

明・宣德

高14.3、口徑12.1厘米。

口沿內壁繪如意雲頭，裏心飾束蓮，外壁繪纏枝牡丹、石榴、月季及菊花紋，近足部繪菊瓣紋，足外壁繪折枝花卉紋。外壁口沿下橫書青花“宣德年製”楷書款。

現藏故宮博物院。

青花海水龍紋高足碗

明・宣德

高17.5、口徑15.4厘米。

內口沿繪海水紋，碗心繪盤龍，外壁繪海水江牙及行龍，足柄部亦繪海水江牙。外壁口沿下橫書青花“宣德年製”款。

現藏故宮博物院。

青花地白雲龍紋高足碗

明・宣德

高11.1、口徑16.7厘米。

碗裏心繪一條穿花龍，內外壁飾雙龍穿花，足部繪纏枝蓮花紋。

現藏故宮博物院。

青花纏枝紋高足杯

明・宣德

高10.6、口徑12.1厘米。

外壁及足柄繪纏枝蓮，近足部飾蓮瓣。杯心書青花雙圈“大明宣德年製”楷書款。

現藏故宮博物院。

青花紅彩海獸紋高足杯

明・宣德

高9、口徑10厘米。

外壁滿飾青花海獸紋。杯心書“大明宣德年製”楷書款。

現藏上海博物館。

青花紅彩龍紋碗

明・宣德

高10.8、口徑15.7厘米。

腹部繪海水雲龍紋，用青花繪海水，礬紅彩繪四條龍。

現藏故宮博物院。

青花魚藻紋盤

明・宣德

高4.2、口徑19厘米。

內口沿繪海水紋，盤心及外壁均繪魚藻圖案。

底書青花雙圈“大明宣德年製”楷書款。

現藏故宮博物院。

青花花卉紋菱花口盤

明・宣德

高7.1、口徑38.3厘米。

菱花口。折沿上繪纏枝靈芝紋，腹壁內外飾折枝花，

內底繪纏枝花紋。

現藏故宮博物院。

青花白龍紋盤

明・宣德

高6.5、口徑40.7厘米。

口沿下繪連續回紋一周，腹壁繪纏枝花卉紋，盤底雙弦紋內繪白龍紋。

現藏上海博物館。

青花折枝花紋菱花式花盆

明・宣德

高12.9厘米。

外壁飾折枝牡丹、菊花等花卉，托上飾弦紋及如意雲紋。

現藏故宮博物院。

青花雙鳳紋葵瓣式洗

明・宣德

高4.5、口徑17.5厘米。

裏心及外壁繪團花式鸞鳳紋。底書青花雙圈“大明宣德年製”楷書款。

現藏故宮博物院。

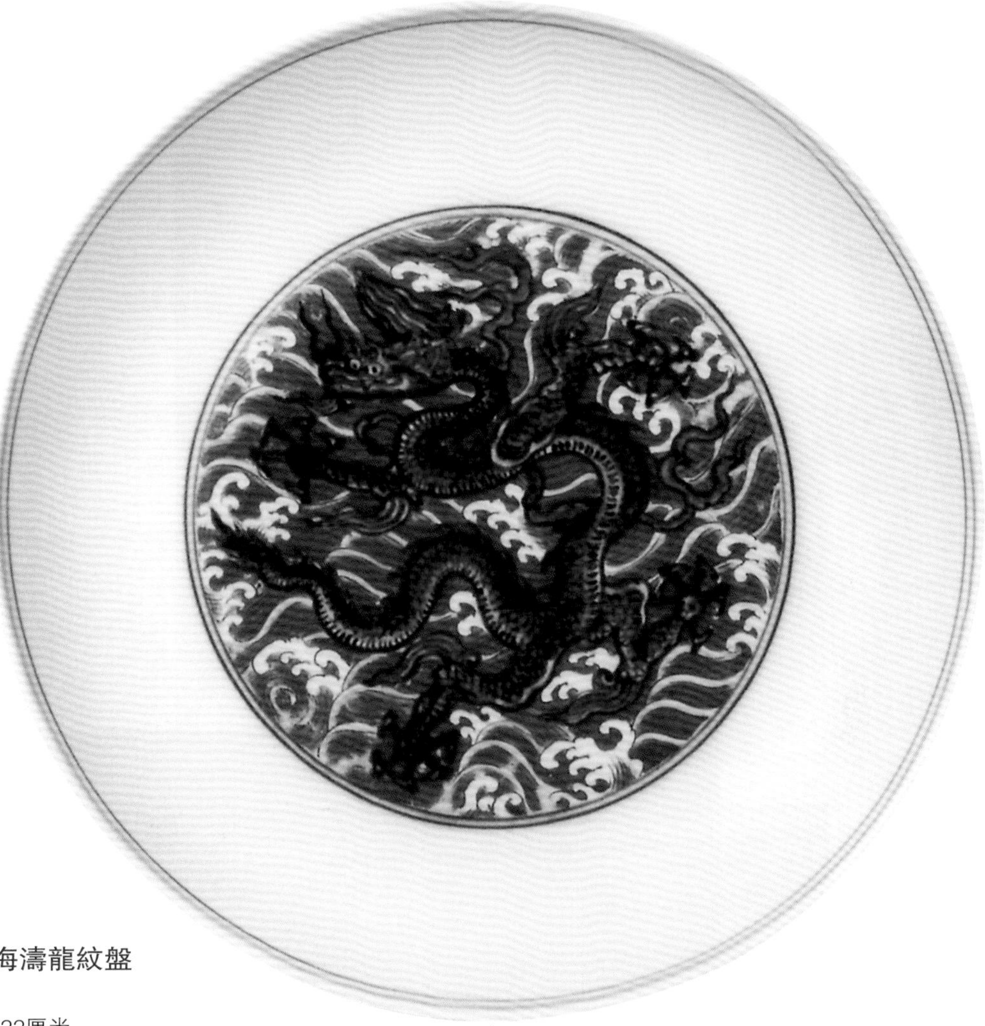

青花紅彩海濤龍紋盤

明・宣德

高4.4、口徑22厘米。

盤心以青花繪一龍，礬紅彩繪海水波濤，外壁繪九龍。

現藏故宫博物院。

釉裏紅三魚紋高足碗

明・宣德

高8.8、口徑9.9厘米。

通體白釉，外壁繪釉裏紅鱖魚三尾。碗心内書青花雙圈“大明宣德年製”楷書款。

現藏上海博物館。

釉裏紅海獸紋碗
明・宣德
江西景德鎮市珠山出土。
高7.3、口徑11.9厘米。
外壁繪飛魚、飛象等九種海中瑞獸，周圍襯以海水波濤紋。碗心書雙圈“大明宣德年製”款。
現藏江西省景德鎮市陶瓷考古研究所。

礬紅彩八寶紋三足爐
明・宣德
河北廊坊市西固城出土。
高12.5、口徑13厘米。
白釉上飾礬紅彩圖案，腹部繪纏枝蓮花，花朵之中現八寶。
現藏河北省博物館。

白釉醬彩花果紋盤

明・宣德

高5、口徑25.8厘米。

內繪葡萄、石榴、桃等，外壁飾纏枝蓮紋。盤底書青花雙圈“大明宣德年製”楷書款。

現藏首都博物館。

白釉鷄心碗

明・宣德

高8.4、口徑16厘米。

器身施甜白釉。底書青花“大明宣德年製”楷書款。

現藏江蘇省常州博物館。

白釉暗花高足碗

明・宣德

高8.4、口徑15.5厘米。

通體白釉略泛青色，外壁暗刻八吉祥等紋樣。碗心書青花雙圈“大明宣德年製”楷書款。

現藏故宮博物院。

豆青釉暗花紋盤

明・宣德

高6、口徑33.9厘米。

裏外暗刻花卉紋。外口沿横書青花“大明宣德年製”楷書款。

現藏天津博物館。

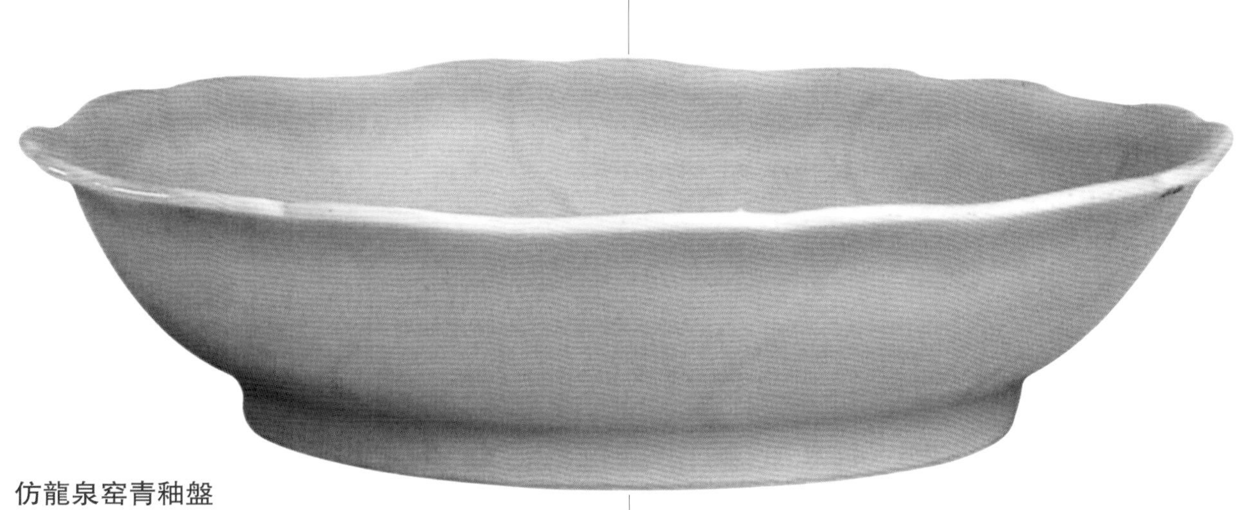

仿龍泉窑青釉盤

明・宣德

高4、口徑17.5厘米。

口沿呈八瓣葵花式。通體施仿龍泉窑青釉。盤底書青花雙圈“大明宣德年製”楷書款。

現藏故宫博物院。

紅釉盤

明・宣德

高4.4、口徑20厘米。

通體施紅釉，圈足白釉。圈足有青花雙圈“大明宣德年製”楷書款。

現藏中國國家博物館。

紅釉金彩雲龍紋盤

明・宣德

高4.1、口徑17.7厘米。

通體施紅釉，外壁及盤心以金彩繪雲龍紋。金彩已脱落。

現藏故宫博物院。

紅釉描金雲龍紋碗

明・宣德

高8.8、口徑20.9厘米。

内、外壁均飾描金雙龍戲珠紋，外壁近足部以金彩繪仰蓮瓣紋一周。

現藏故宫博物院。

紅釉僧帽壺

明·宣德

高20厘米。

闊頸，有流，柄作如意雲頭形，腹上豐下斂，圈足。壺裏施白釉，外施紅釉。

現藏故宮博物院。

紅釉菱花式洗

明·宣德

高3.8、口徑15.9厘米。

洗作十瓣菱花式。通體施紅釉，口沿露白胎。

現藏故宮博物院。

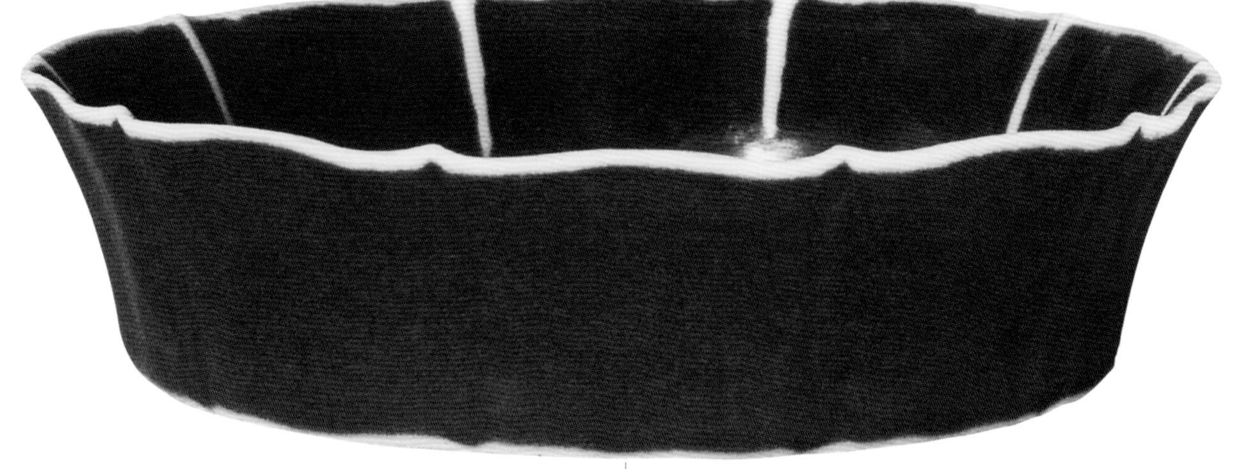

霽藍釉盤

明・宣德

高4.8、口徑20厘米。

通體施藍釉。底書青花雙圈“大明宣德年製”楷書款。

現藏天津博物館。

藍釉白花龍紋渣斗

明・宣德

高14、口徑16厘米。

腹部飾白花行龍。底書“大明宣德年製”楷書款。

現藏上海博物館。

藍釉白花牡丹紋盤

明・宣德

口徑38.7厘米。

盤內底飾折枝牡丹紋，內壁飾石榴、桃和荔枝等，外壁飾纏枝牡丹紋，口沿下橫書“大明宣德年製”楷書款。

現藏日本大阪市立東洋陶瓷美術館。

藍地白花盤

明・宣德

高4.3、口徑25.7厘米。

內外壁均施藍釉白花，外壁爲纏枝蓮花，內壁繪石榴、葡萄和折枝花，內底爲折枝花卉。底書青花“大明宣德年製”楷書款。

現藏廣東省博物館。

藍釉白花魚蓮紋盤

明・宣德

高4、口徑19.2厘米。

盤心飾白色魚蓮紋。盤底書青花雙圈“大明宣德年製”楷書款。

現藏故宮博物院。

灑藍釉鉢

明·宣德

高11.5、口徑25.3厘米。

鉢外壁施灑藍釉。内底書青花雙圈“大明宣德年製”楷書款。

現藏首都博物館。

醬釉盤

明·宣德

高4.4、口徑19.6厘米。

撇口，弧腹，通體施醬釉。

現藏故宮博物院。

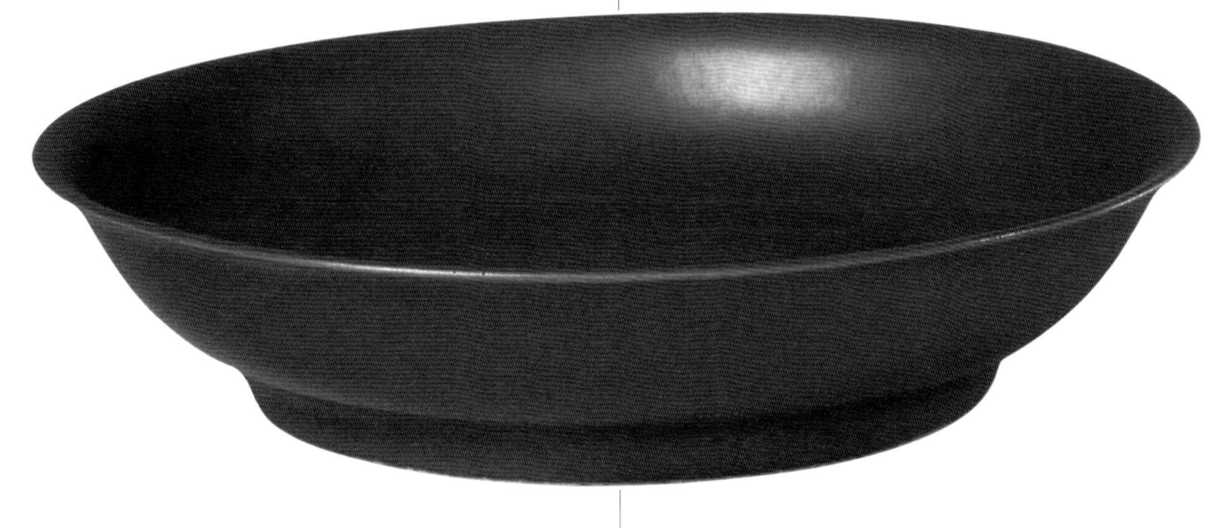

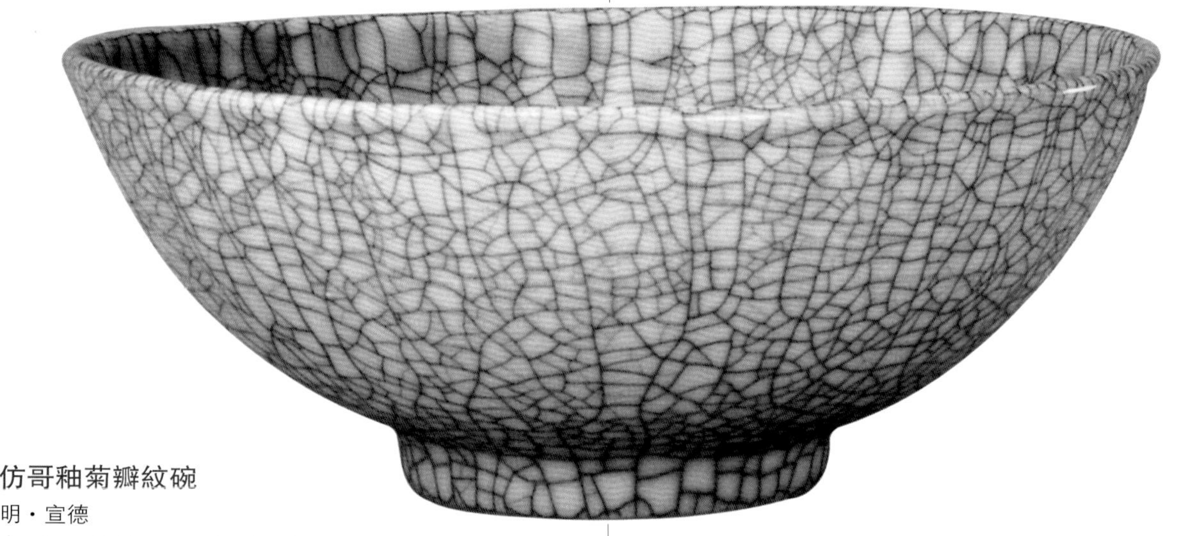

仿哥釉菊瓣紋碗

明・宣德

高7.3、口徑18.7、足徑6.9厘米。

碗呈菊花瓣形，釉面密布開片紋。底書青花雙圈“大明宣德年製”楷書款。

現藏故宮博物院。

青花纏枝蓮托八寶紋罐

明・正統

高43、口徑23厘米。

頸部繪菱形錦紋，肩部繪纏枝花紋，腹部繪纏枝蓮托八寶紋，足部爲蓮瓣紋一周，各組紋飾以青花雙綫紋隔開。

現藏故宮博物院。

青花人物紋罐

明·正統

高36、口徑20.8厘米。

頸部飾菱形錦紋一周，肩部在海棠式開光内繪折枝花卉及月華紋，腹部繪祝壽圖，近足部繪大蓮瓣紋。

現藏北京藝術博物館。

青花人物故事紋梅瓶

明・正統
高33厘米。
肩部繪海水瑞獸，腹部繪人物風景，近足上繪蕉葉紋。
現藏天津博物館。

豆青釉獅座燭臺

明・正統
江西永修縣魏源墓出土。
高23、口徑11.5厘米。
插燭管呈葫蘆形，下承圓盤形托盞，托內暗刻纏枝花卉紋。臺柱中空且堆塑纏枝蔓草。座呈六邊形，暗刻雲紋和回紋，座上塑一獅。
現藏江西省博物館。

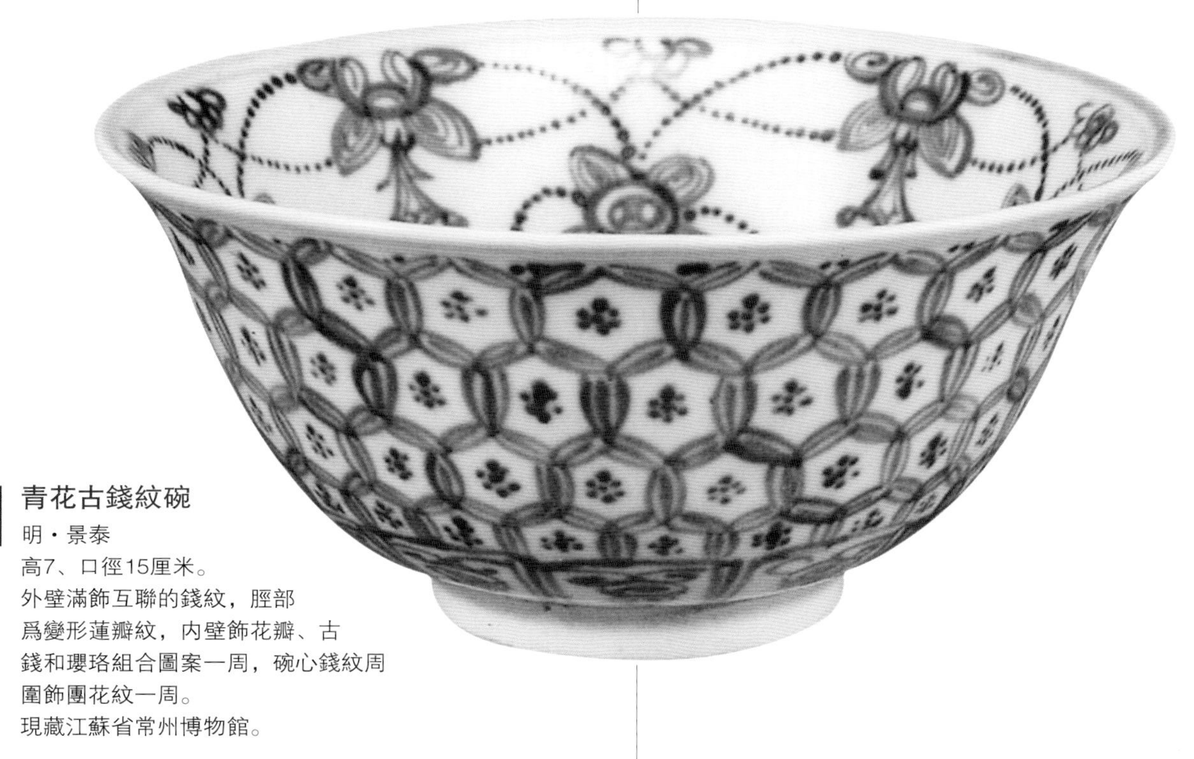

青花古錢紋碗

明・景泰

高7、口徑15厘米。

外壁滿飾互聯的錢紋，脛部爲變形蓮瓣紋，內壁飾花瓣、古錢和瓔珞組合圖案一周，碗心錢紋周圍飾團花紋一周。

現藏江蘇省常州博物館。

青花訪賢圖罐

明・天順

高34.3、口徑19.3厘米。

頸部飾連續回紋，肩部飾如意雲頭紋和纏枝蓮紋，腹部繪“姜太公垂釣圖”和“三顧茅廬圖”。

現藏北京藝術博物館。

青花人物紋罐

明・天順

北京海淀區學院路出土。

高36、口徑21.5厘米。

腹部繪携琴訪友和踏雪尋梅兩組人物故事畫。

現藏首都博物館。

青花蓮荷紋大碗

明・天順

高13.5、口徑33.2厘米。

碗內口沿下飾錦紋一周，內外壁繪蓮荷圖。

現藏故宮博物院。

青花山石牡丹紋碗

明・成化

高6.7、口徑15.3厘米。

碗外壁繪山石牡丹，輔以坡地和花蝶等。底書青花“大明成化年製”楷書款。

現藏故宮博物院。

青花人物紋碗

明・成化

高9.2、口徑22厘米。

碗心繪松竹梅三友圖，外壁繪仕女出游圖。

現藏江蘇省蘇州市文物商店。

青花夔龍紋碗

明・成化

高9、口徑17厘米。

外腹部繪四條夔龍，龍口中銜蓮花。底書青花雙方框“大明成化年製”楷書款。

現藏上海博物館。

青花折枝花卉紋高足杯

明・成化

口徑16厘米。

内沿繪捲草紋，内壁繪四奔馬，内底繪海螺和海水波浪紋。外壁繪折枝牡丹、月季、蓮花和菊花，襯以波濤和水草。足部繪回紋、海水紋和花卉紋。

現藏首都博物館。

青花纏枝蓮托八寶紋鼓釘爐

明・成化

高9、口徑10厘米。

口及足邊飾一周鼓釘，腹部繪纏枝蓮托八寶紋。底書“大明成化年製”楷書款。

現藏故宮博物院。

青花群仙祝壽圖罐

明・成化
高33.6、口徑18.8厘米。
腹部繪群仙祝壽圖。
現藏北京藝術博物館。

青花山石花卉紋蓋罐

明・成化

高11.2、口徑7.9厘米。

蓋面繪山石花卉，罐身繪山石、芭蕉和花草等圖案。

現藏故宮博物院。

青花折枝花紋瓜棱瓶（右圖）

明・成化

高27.8厘米。

長頸中部有凸棱。頸部飾海水、纏枝花卉及折枝花卉，腹部爲纏枝寶相花紋，肩部及足部繪海石榴紋一周。

現藏故宮博物院。

青花麒麟紋盤

明・成化

高6.5、口徑34.2厘米。

盤内飾青花麒麟紋，襯以朵雲紋。外口沿横書青花“大明成化年製”楷書款。

現藏故宮博物院。

孔雀緑釉蓮魚紋盤

明・成化

高5、口徑23.5厘米。

外壁繪蓮魚紋。

現藏上海博物館。

鬥彩海馬紋罐

明・成化

高10.2、口徑5.5厘米。

腹部繪四匹神馬踏浪奔騰，輔以流雲和海水紋。底書青花“天”字款。

現藏故宮博物院。

鬥彩海獸紋罐

明・成化

高11.8、口徑6.6厘米。

腹部繪四神獸踏浪奔騰，輔以流雲和海水紋。底書青花“天”字款。

現藏故宮博物院。

鬥彩龍穿瓜藤紋罐

明・成化

高13、口徑8.7厘米。

一條龍穿行于瓜藤之間。底書青花"天"字款。

現藏日本東京國立博物館。

鬥彩海水龍紋蓋罐

明・成化

高13.5、口徑7.8厘米。

腹部繪海水雙雲龍。底書青花“天”字款。

現藏故宮博物院。

鬥彩纏枝蓮紋蓋罐

明・成化

高8.3、口徑4.3厘米。

蓋面中間繪團蓮一朵，邊繪一周纏枝紋；肩、脛部爲仰蓮瓣紋，腹部繪纏枝蓮紋。底書青花“天”字款。

現藏故宮博物院。

鬥彩蓮花紋蓋罐

明・成化

高12.7、口徑6.2厘米。

蓋面繪正方形和如意雲紋疊加的變形圖案，蓋邊飾纏枝紋一周。肩、脛部爲變形蓮瓣紋，腹部飾五個菱形開光，開光内繪折枝蓮紋。底書青花雙圈“大明成化年製”楷書款。

現藏故宫博物院。

鬥彩花蝶紋蓋罐

明・成化

高11.1、口徑5.3厘米。

腹部飾團花和勾葉朵花，上下兩排，交錯排列。蓋爲後配。底書青花“大明成化年製”楷書款。

現藏故宫博物院。

鬥彩鷄缸杯

明・成化

高3.3、口徑8.3厘米。

鷄缸杯因杯似缸又外繪子母鷄而得名。底書青花雙方框“大明成化年製”楷書款。

現藏故宫博物院。

鬥彩葡萄紋杯

明・成化
北京新街口外清墓出土。
高4.8、口徑7.8厘米。
在青花勾綫內，填繪葡萄、賴瓜、桑椹、竹子。底書青花“大明成化年製”楷書款。
現藏首都博物館。

鬥彩高士紋杯

明・成化
高3.4、口徑6.1厘米。
杯身繪陶淵明賞菊圖和王羲之愛鵝圖。底書青花雙方框“大明成化年製”楷書款。
現藏故宮博物院。

鬥彩花鳥紋高足杯（右圖）

明・成化

高7.6、口徑6.7厘米。

杯外壁繪兩組小鳥栖枝圖，小鳥用青花，樹枝用赭彩。足内書青花“大明成化年製”楷書款。

現藏故宫博物院。

鬥彩纏枝蓮紋高足杯

明・成化

高8.8、口徑7.5厘米。

外腹壁繪纏枝蓮四朵。足内書青花“大明成化年製”楷書款。

現藏故宫博物院。

鬥彩折枝花紋淺碗

明・成化

高3.4、口徑7.4厘米。

碗心青花繪十字寶杵和雙勾蓮瓣紋，外壁繪鬥彩折枝花紋四組。

現藏故宮博物院。

鬥彩鴛鴦卧蓮紋碗

明・成化

高8.3、口徑18.9厘米。

外壁繪鴛鴦卧蓮紋，碗心繪一對鴛鴦及四組蓮荷。

現藏故宮博物院。

五彩人物紋梅瓶（右圖）

明・成化

高24.4、口徑6厘米。

器身繪人物、花卉、樓閣和山水等圖案。

現藏廣東省博物館。

五彩纏枝牡丹紋罐

明・成化

高10.8、口徑6厘米。

頸部及底部繪雙弦紋，肩部飾蕉葉紋，腹部繪纏枝牡丹紋。

現藏故宮博物院。

白釉綠彩龍紋盤

明・成化

口徑17.9厘米。

盤内心繪一條龍，周圍襯以雲紋。外壁繪雙龍。盤底書“大明成化年製”款。

現藏英國倫敦大學亞非學院斐西瓦樂・大維德中國美術館。

白釉碗

明・成化

高9.8、口徑20.5厘米。

通體施白釉。底書青花雙圈“大明成化年製”楷書款。

現藏廣東省博物館。

黄釉盤

明・成化

高4.3、口徑21.2厘米。

盤内及外壁施黄釉，足内施白釉。底書青花雙圈“大明成化年製”楷書款。

現藏故宫博物院。

紅釉盤

明・成化

高5、口徑20.9厘米。

盤内及足内施白釉，外壁施紅釉。底書青花雙圈“大明成化年製”楷書款。

現藏故宫博物院。

孔雀綠釉蓮魚紋盤

明・成化

高5.5、口徑23.5厘米。

盤内及足内施白釉，外壁施孔雀綠釉并繪青花蓮池游魚圖。底書青花雙圈雙行“大明成化年製”楷書款。

現藏上海博物館。

孔雀綠釉蓮魚紋盤外底

紅地綠彩靈芝紋三足爐

明・成化

江西景德鎮市珠山明御窑遺址出土。

高14厘米。

内壁施白釉，外壁飾綠彩纏枝靈芝紋，填礬紅地。

底書青花雙圈雙行“大明成化年製”楷書款。

現藏江西省景德鎮市陶瓷考古研究所。

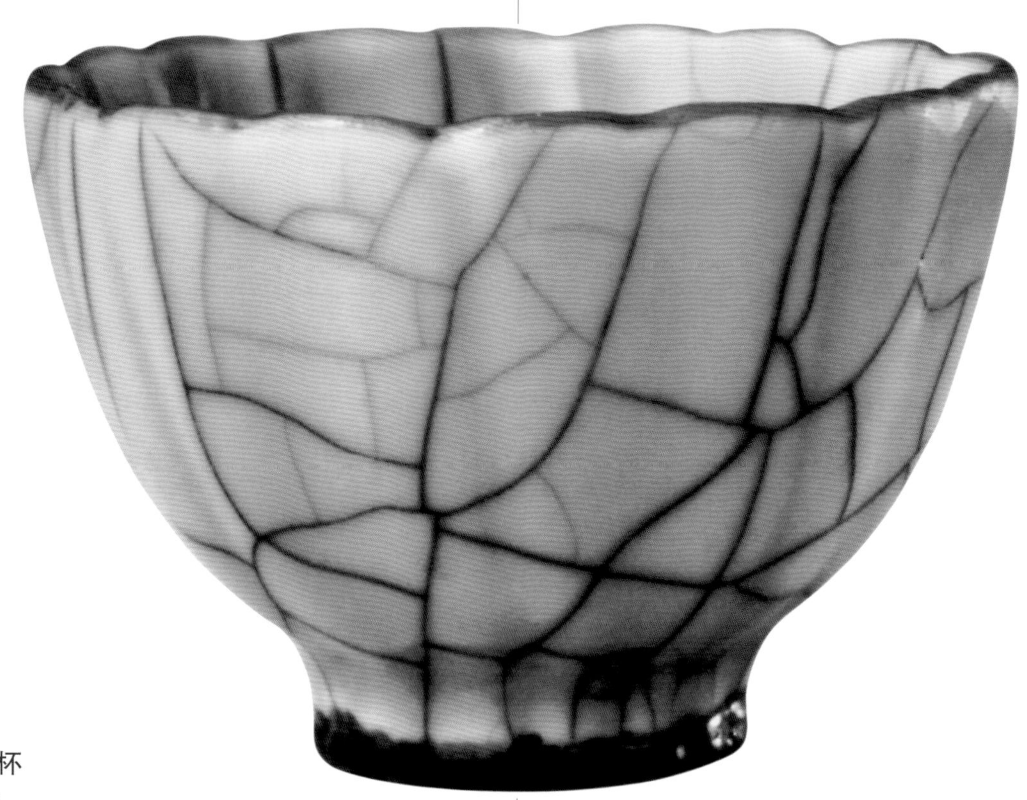

仿哥釉杯

明・成化

高5、口徑7.7厘米。

碗呈十六瓣菊花式，釉層開片。足底內書青花“大明成化年製”楷書款。

現藏故宫博物院。

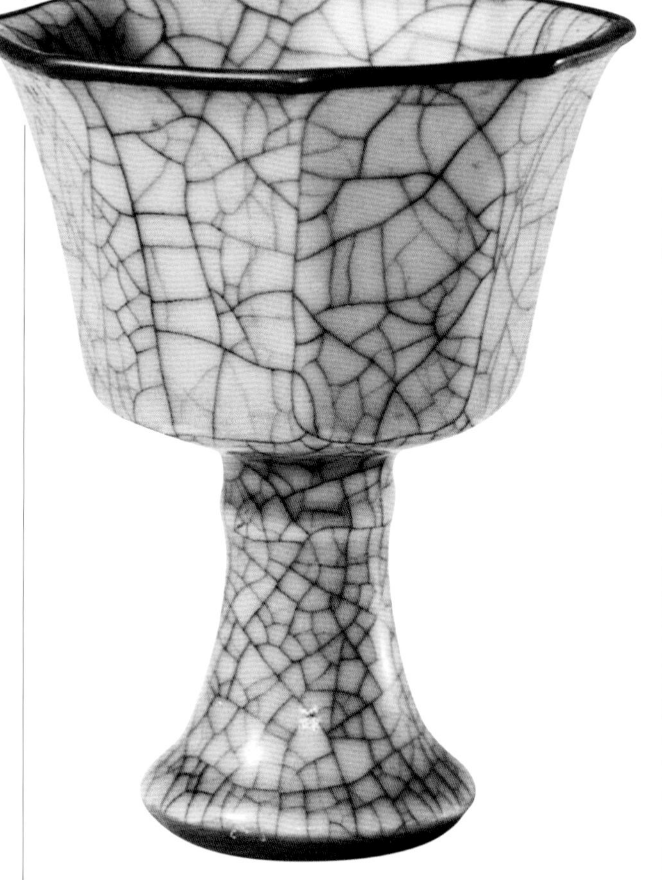

仿哥釉八方高足杯

明・成化

高9.7、口徑8厘米。

杯腹呈八方形，釉層開片。足内沿横書青花“大明成化年製”楷書款。

現藏故宫博物院。

仿哥釉雙耳瓶

明・成化

高9.5、口徑2.1厘米。

瓶呈十二瓣瓜棱形，通體有開片。

現藏故宮博物院。

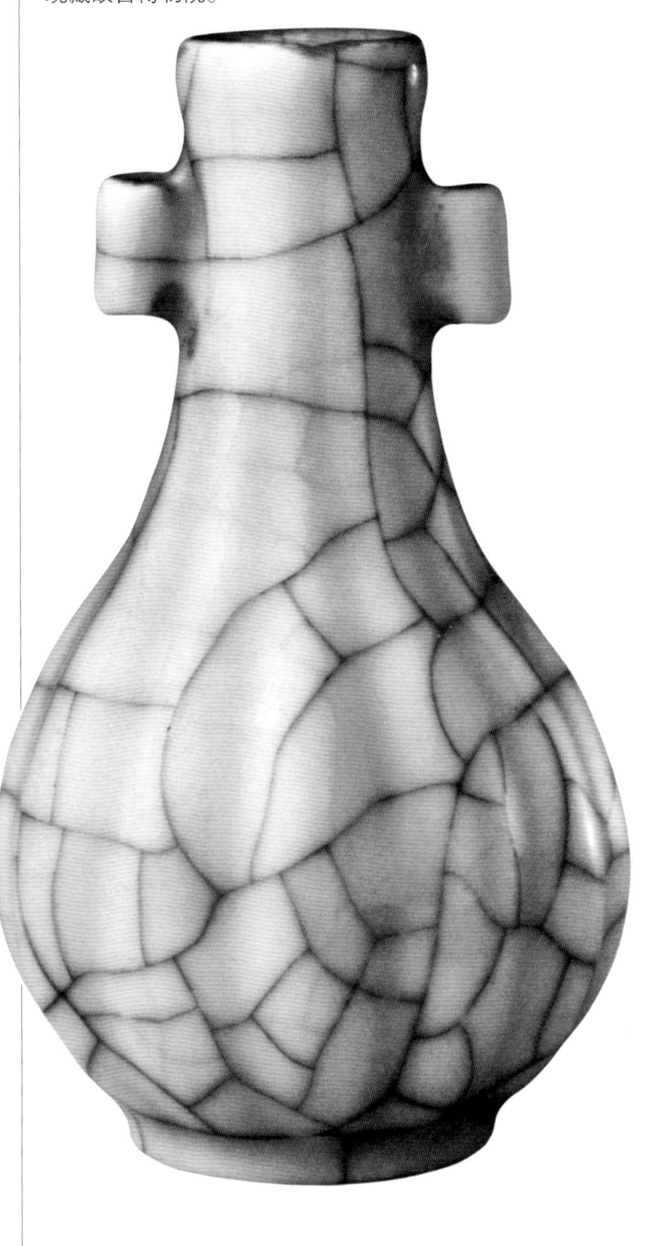

青花團花紋蒜頭瓶

明・弘治

湖北武漢市江夏區流芳嶺出土。

高30.1厘米。

蒜頭小口，細長頸，溜肩鼓腹，底部呈喇叭形。口沿飾如意雲頭紋一周，頸部繪梅花，肩部飾纏枝菊花及蓮瓣紋，腹部飾團花間三角雲紋，底部飾變形蓮瓣紋。

現藏湖北省武漢市江夏區博物館。

青花人物樓閣蓋罐

明・弘治
北京朝陽區八里莊出土。
高43.5厘米。
蓋面及肩部飾雲頭紋，雲頭紋内繪折枝花卉，腹部繪樓閣人物和雲氣紋，近足處飾變形蓮瓣紋。
現藏首都博物館。

青花荷蓮龍紋碗

明・弘治
高7、口徑16厘米。
碗裏口繪海水紋一周，碗心繪蓮池游龍紋，碗外壁繪兩條游龍穿行于蓮池中。足底書青花雙圈雙行“大明弘治年製”楷書款。
現藏故宮博物院。

青花緑彩龍紋碗

明・弘治

高9.5、口徑21厘米。

碗心及外壁繪雲龍紋。

現藏首都博物館。

青花折枝葡萄紋碗

明・弘治

高6.7、口徑12.6厘米。

碗口沿及足部繪弦紋，裏心繪葡萄紋一枝，外腹繪折枝葡萄三組。

現藏故宫博物院。

黄釉青花折枝花果紋盤

明·弘治

高4.2、口徑26.2厘米。

盤中心繪折枝花卉一枝，内壁繪折枝石榴、柿子、葡萄及蓮花，外壁繪纏枝牡丹紋一周。底書青花雙圈“大明弘治年製”楷書款。

現藏故宮博物院。

白釉紅彩雲龍紋盤

明・弘治

高4.3、口徑10.5厘米。

盤心和外壁以紅彩繪雲龍紋。足底書紅彩雙圈“上用”楷書款。

現藏故宮博物院。

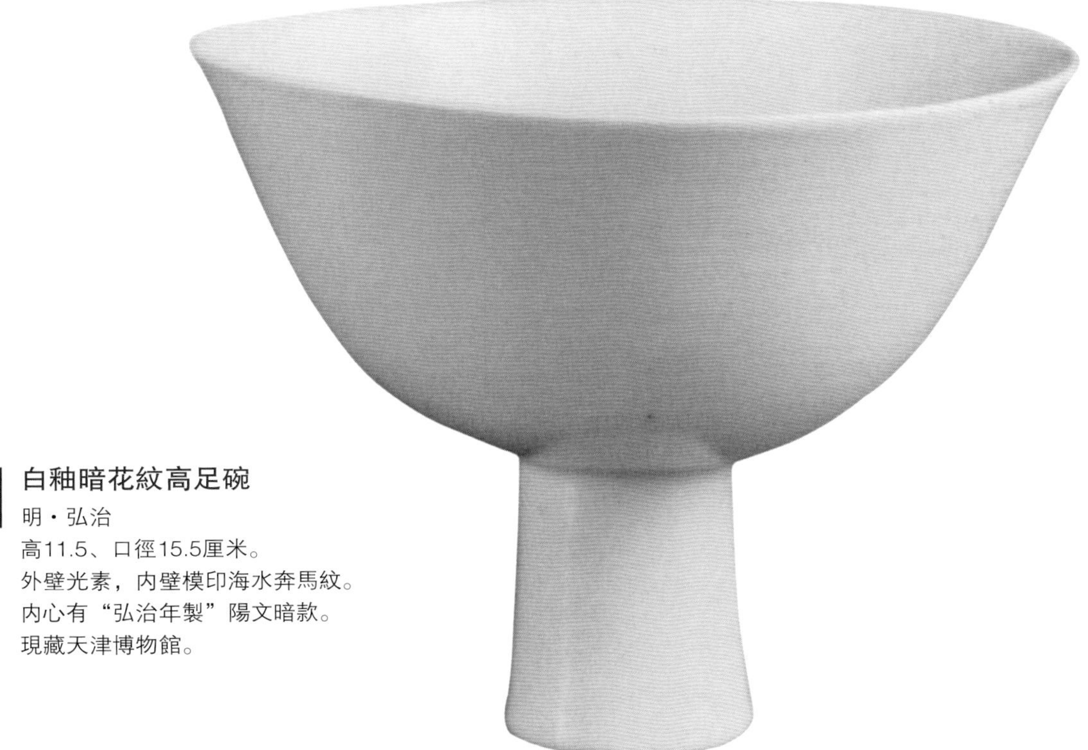

白釉暗花紋高足碗

明・弘治

高11.5、口徑15.5厘米。

外壁光素，內壁模印海水奔馬紋。內心有“弘治年製”陽文暗款。

現藏天津博物館。

白釉獸紋鼎

明·弘治

山東兗州市明鉅野郡王朱陽鑋墓出土。

高34、口徑24厘米。

鼎呈圓形，子母口，圓腹，平底，底中心有三孔，三獸蹄足。圓蓋頂部蹲一麒麟，腹部雕兩蟠螭。

現藏山東省兗州市博物館。

黄釉盤

明·弘治

高4.2、口徑21.5厘米。

敞口，淺腹，圈足。底書青花雙圈“大明弘治年製”楷書款。

現藏上海博物館。

黄釉描金雙獸耳罐

明・弘治

高32、口徑19厘米。

廣口，短頸，腹部上豐下斂，肩兩側各有一牛頭形耳。罐裏施白釉，外施黄釉。外壁飾九道描金弦紋。

現藏故宫博物院。

黄釉描金綬帶耳尊

明・弘治

高31、口徑18.5厘米。

内壁施白釉，外壁施黄釉，口沿及耳沿各飾二道描金弦紋。

現藏南京博物院。

青花仙人故事紋葫蘆瓶

明・正德

高53、口徑8.7厘米。

主體紋飾爲雲亭仙境故事。上腹部分别繪仙人觀蓮、賞菊、題詩和趕考，下腹部繪吹簫引鳳、携琴訪友、煉丹求道和魚龍變化等。

現藏天津博物館。

青花波斯文罐

明・正德

高36、口徑13.5厘米。

直口，矮頸，豐肩，重底。頸、腹部開光内有波斯文。罐底書“大明正德年製”楷書款。

現藏首都博物館。

青花纏枝花卉紋出戟尊

明・正德

高24、口徑15.3厘米。

尊裏口繪蕉葉紋一周，頸、腹部繪纏枝蓮花，足部繪雲頭紋及波浪朵花紋一周，尊身有出戟。

現藏故宮博物院。

青花龍紋尊

明·正德

高12.4、口徑15.5厘米。
器外壁及内壁上部滿繪穿花龍紋。
底書青花“正德年製”楷書款。
現藏故宫博物院。

青花蓮龍紋高足碗

明·正德

高11.4、口徑17.7厘米。
碗心繪盤龍，内外壁繪穿花龍。
足内壁書“正德年製”楷書款。
現藏山東省青島市博物館。

青花纏枝蓮龍紋碗

明・正德

高10.3、口徑15.9厘米。

碗內外壁滿繪纏枝蓮龍紋。足內書青花雙圈“正德年製”楷書款。

現藏上海博物館。

青花纏枝牡丹紋碗

明・正德

高12.5、口徑26厘米。

碗心繪一折枝牡丹，外壁繪纏枝牡丹紋、變體蓮瓣紋及如意紋。底書青花“正德年製”楷書款。

現藏江蘇省常熟博物館。

青花嬰戲紋碗

明・正德

高10.2、口徑21.3厘米。

外壁繪嬰孩玩樂場面。

現藏天津博物館。

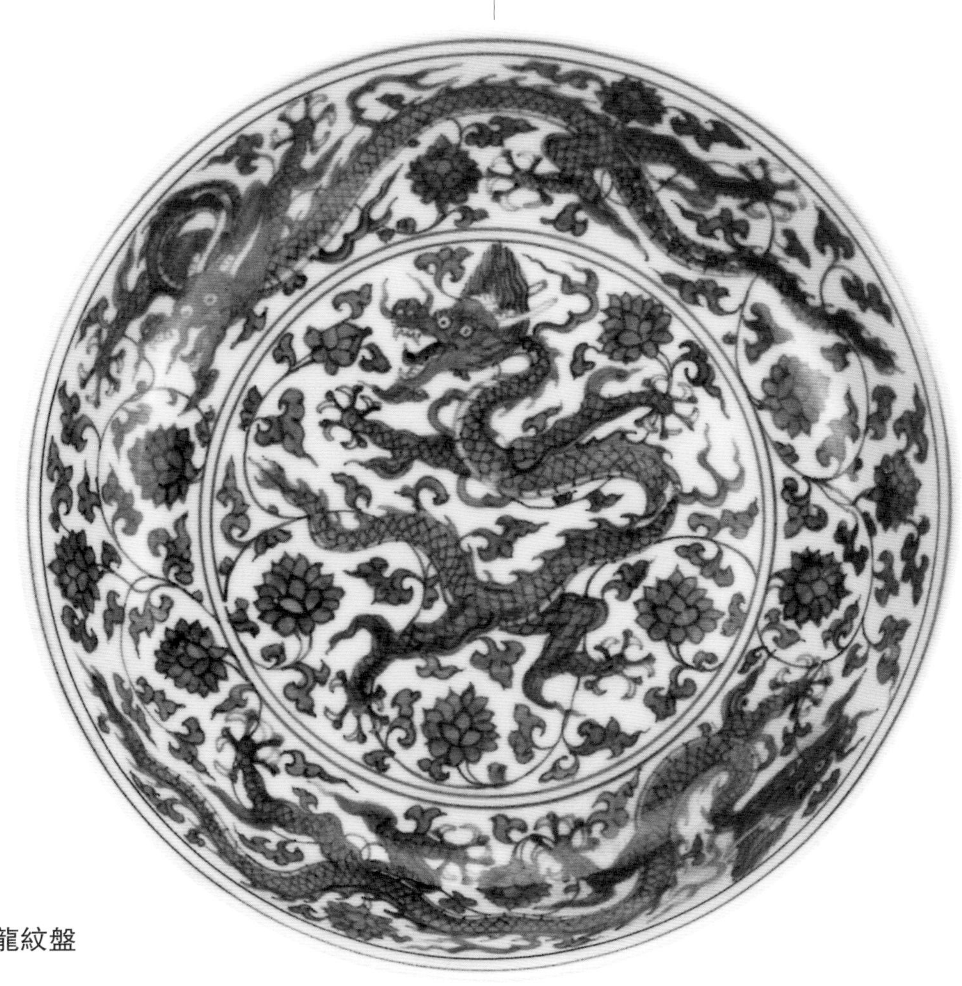

青花穿花龍紋盤

明・正德

高5、口徑23厘米。

内底及内外壁共繪五條穿花行龍。底書“大明正德年製”楷書款。

現藏首都博物館。

青花波斯文筆架

明・正德

高11、寬22厘米。

筆架作五峰山式，下連須彌臺座。主峰正背兩面菱形開光内有波斯文。底書青花“大明正德年製”楷書款。

現藏首都博物館。

青花阿拉伯文燭臺

明・正德

高24.6、口徑6.7厘米。

燭臺分上下兩層，上層小托盤下承長支柱，下層爲托盤及喇叭形足。小托盤外壁飾如意雲頭紋，大托盤外壁飾雙勾花枝紋間菱形紋。支柱及足外壁飾阿拉伯文。底書青花“大明正德年製”楷書款。

現藏故宮博物院。

青花人物紋套盒

明・正德

高23.6、口徑16.1厘米。

器分三層。器身中間兩層繪宮廷仕女圖，蓋面繪騎馬人物中第三甲。

現藏故宮博物院。

青花雙獅紋綉墩

明・正德

高37.2、面徑24.3厘米。

鼓形，用兩道鼓釘紋將墩體分爲三層。上層飾梅花錦紋，中層飾兩組雙獅戲綉球，下層飾壽山福壽紋。墩面緣部有四朵對稱的荷花，中心鏤雕牡丹。

現藏首都博物館。

青花紅緑彩雲龍紋碗

明・正德

高9.7、口徑19.7厘米。

碗口、足分别繪如意雲紋，腹部繪雲龍、山石及海浪紋。足内書青花雙圈“正德年製”楷書款。

現藏故宫博物院。

青花紅龍紋碗

明・正德

高9.6、口徑21.8厘米。

碗裏口繪青花雙弦紋，碗心繪雲龍紋，外口沿飾錦紋一圈，外壁繪四龍行走于雲朵間。

現藏故宫博物院。

青花紅彩海獸紋碗

明·正德

高9.6、口徑16.4厘米。

碗裏口沿繪弦綫兩道，外口沿繪青花幾何圖案，腹部繪青花海水， 紅彩海獸奔騰于波濤中。現藏上海博物館。

黄釉青花花果紋盤

明·正德

高4.7、口徑25.2厘米。

黄釉底。内心繪栀子花，内壁繪花果，外壁繪纏枝茶花。底書青花雙圈“大明正德年製”楷書款。現藏首都博物館。

五彩桃花雙禽紋盤
明・正德
高2.9、口徑14.3厘米。
盤心繪折枝花卉紋，外壁繪桃花雙禽紋兩組。底書紅彩雙圈“正德年製”楷書款。
現藏故宮博物院。

五彩八仙紋香筒（右圖）
明・正德
高19.6厘米。
六方形筒身，底座上有六個蓮瓣狀鏤空。口沿繪錢錦紋和四個海棠形開光，腹部主題紋飾爲八仙人物，底座繪回紋一周。
現藏故宮博物院。

白釉刻填緑彩龍紋碗
明・正德
高9、口徑20厘米。
通體施白釉，内壁刻龍紋，外壁刻兩條行龍。
底書青花“大明正德年製”楷書款。
現藏天津博物館。

素三彩高足碗
明・正德
高12、口徑15.9厘米。
外壁刻纏枝蓮五朵，足部飾朵雲紋。
現藏故宫博物院。

素三彩海水蟾紋三足洗

明・正德

高10.8、口徑23.7厘米。

器外壁刻劃海水和蟾蜍。器口緣有“正德年製”楷書款。

現藏故宮博物院。

紅釉白魚紋盤

明・正德

高3.5、口徑15.4厘米。

盤內壁施白釉，外壁施紅釉。外壁紅釉地上飾四尾白魚。器底書青花雙圈“正德年製”楷書款。

現藏故宮博物院。

青釉劃花纏枝花卉紋碗

明・正德

高9、口徑16.3厘米。

通體施青釉。外壁刻劃纏枝花卉紋。

現藏上海博物館。

黃釉碗

明・正德

高9、口徑19.6厘米。

通體施黃釉。足內施白釉，有青花雙圈“大明正德年製”楷書款。

現藏故宮博物院。

青花串枝番蓮紋梅瓶

明・嘉靖

北京昌平區明定陵出土。

高46厘米。

有蓋，蓋外飾雲紋。瓶肩部飾如意雲頭紋，內繪蓮花，瓶腹部飾串枝番蓮紋，脛部飾變形蓮瓣紋。頸下書“大明嘉靖午製”楷書款。

現藏北京市定陵博物館。

青花龍鳳紋雙環耳瓶

明・嘉靖

高18.5厘米。

頸部兩側置獸耳銜環。口沿繪捲枝紋，頸部上層飾朵花紋，下層繪朵雲紋，腹部繪龍鳳、海獸紋，間以海水江牙紋，近底繪變形如意雲頭紋和蓮瓣紋。瓶口橫書青花“大明嘉靖年製”楷書款。

現藏故宮博物院。

青花朵花紋象耳瓶

明·嘉靖

北京通州區明墓出土。

高18.5、口徑5厘米。

肩附對稱象耳。頸部上部在菱形錦地上繪“卍”字紋，下部繪朵雲紋，上腹繪海棠形開光，下腹繪仰、覆蓮瓣紋。底書青花“大明嘉靖年製”楷書款。

現藏首都博物館。

青花纏枝蓮紋葫蘆瓶

明・嘉靖
江西南昌市出土。
高29厘米。
上腹渾圓，下腹爲六方形，整器呈天圓地方形。上、下腹均飾藍地白花纏枝蓮紋，肩、腰部繪如意雲頭紋。
現藏江西省博物館。

青花八仙雲鶴紋葫蘆瓶

明・嘉靖
高58厘米。
上腹圓形，下腹方形。上腹繪雲鶴紋及八卦，下腹繪八仙。
現藏中國國家博物館。

青花魚藻紋出戟尊

明・嘉靖

高23.9、口徑15.3厘米。

頸、腹、足部均出戟。口沿繪蕉葉紋一周。頸腹部以淡色青花繪海水紋爲地，以深色青花繪魚蓮水藻。脛部繪朵蓮、魚紋和海水紋各一周。

現藏故宫博物院。

青花瓔珞纏枝蓮紋罐

明・嘉靖

高62、口徑25.9厘米。

肩部繪瓔珞紋一周，腹部繪纏枝蓮紋，近底繪變形蓮瓣一周。底書青花“大明嘉靖年製”楷書款。

現藏故宮博物院。

青花神獸龍紋罐

明・嘉靖

江西南城縣明益莊王朱厚燁墓出土。

高17.6、口徑9.9厘米。

肩部飾如意雲頭紋，上腹部飾戲于雲間的兩條行龍，下腹飾六隻神獸。脛部飾仰蓮紋。

現藏江西省博物館。

青花嬰戲紋蓋罐（右圖）

明·嘉靖
北京朝陽區窪里出土。
高45、口徑14.5厘米。
罐腹主題紋飾爲嬰戲圖。底書青花“大明嘉靖年製”楷書款。
現藏首都博物館。

青花壽字蓋罐

明·嘉靖
高58、口徑24.4厘米。
頸部繪扇形紋一周，蓋面及腹部繪團壽紋，近足部繪如意雲紋。底書青花“大明嘉靖年製”楷書款。
現藏故宮博物院。

青花群仙慶壽紋蓋罐

明・嘉靖

北京海淀區百萬莊出土。

高64、口徑26厘米。

蓋上繪龍紋。腹部主題紋飾爲群仙祝壽圖。

底書青花"大明嘉靖年製"楷書款。

現藏首都博物館。

青花松竹梅三羊紋碗

明・嘉靖

高10.3、口徑16.1厘米。

碗內口沿繪菱花錦紋一周，外壁繪松竹梅三羊紋。底書青花雙圈“大明嘉靖年製”楷書款。

現藏上海博物館。

青花地白龍紋碗

明・嘉靖

高11.5、口徑28厘米。

青花爲地，碗心和外壁飾白龍穿花紋。底書青花雙圈“大明嘉靖年製”楷書款。

現藏河北省承德市避暑山莊博物館。

青花龍紋盤

明・嘉靖

江西南城縣明益莊王朱厚燁墓出土。

高6.1、口徑30.4厘米。

内底飾一條正面五爪龍，外壁飾戲珠雙龍紋。底書青花雙圈“大明嘉靖年製”楷書款。

現藏江西省博物館。

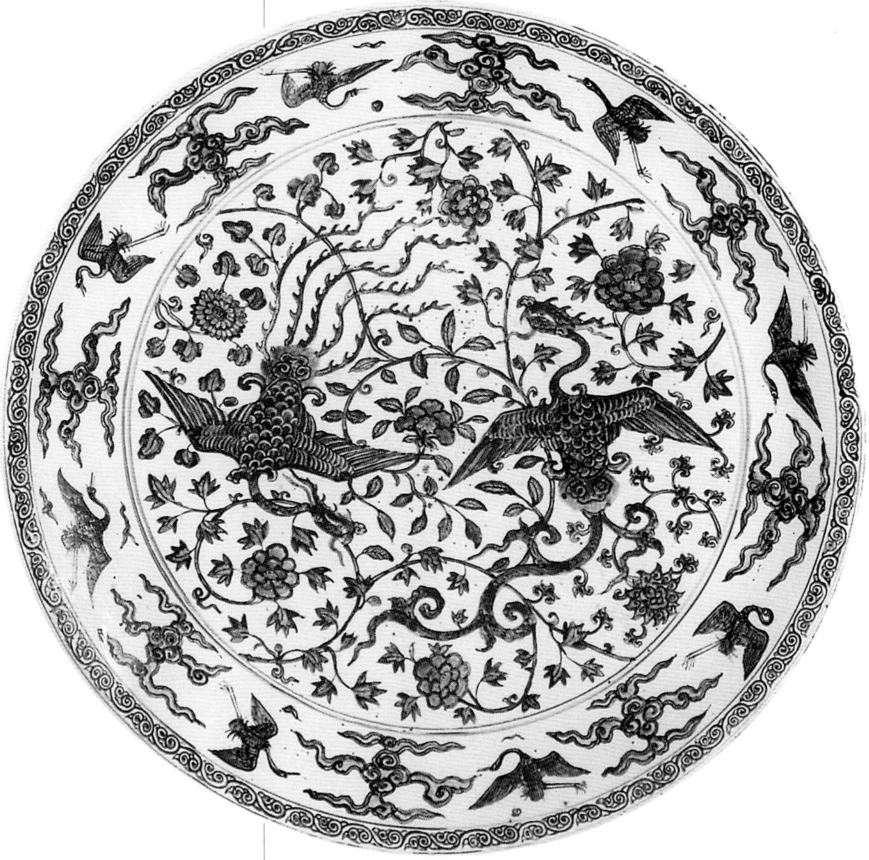

青花鸞鳳穿花紋大盤

明・嘉靖

高6.4、口徑73厘米。

盤内中心爲鸞鳳穿花紋，内壁繪雲紋和翔鶴紋，外壁繪三組折枝松竹梅。口沿下書“大明嘉靖年製”楷書款。

現藏南京博物院。

青花雲鶴紋盤

明・嘉靖

北京朝陽區南磨房出土。

高5.4、口徑27厘米。

盤内心及外壁飾雲鶴紋。底書青花“大明嘉靖年製”楷書款。

現藏首都博物館。

青花穿花龍紋缸

明・嘉靖

高32.6、口徑68.6厘米。

外壁繪穿花龍紋。口沿下書青花“大明嘉靖年製”楷書款。

現藏北京大學賽克勒考古與藝術博物館。

青花紅彩海水龍紋碗

明・嘉靖

高16.2、口徑36.6厘米。

碗心繪青花海水江牙及紅彩龍戲珠紋，外壁繪紅彩雲龍戲珠紋及青花海水江牙紋。底書青花雙圈“大明嘉靖年製”楷書款。

現藏故宮博物院。

青花紅彩魚藻紋蓋罐

明・嘉靖

北京西城區郝家灣出土。

高42、口徑22.5厘米。

通體飾青花水藻蓮花紋，間繪紅彩游魚。

底書青花“大明嘉靖年製”楷書款。

現藏首都博物館。

釉裏紅凸雕蟠螭紋蒜頭瓶

明・嘉靖

高29.8厘米。

肩、頸部凸雕一纏繞的釉裏紅蟠螭。

現藏故宮博物院。

鬥彩八卦紋三足爐

明・嘉靖

高9.8、口徑12.1厘米。

北京海淀區清墓出土。

上腹部飾青花八卦，下腹部繪鬥彩折枝花卉紋。

爐底有“大明嘉靖年製”楷書款。

現藏首都博物館。

鬥彩嬰戲紋杯

明・嘉靖

高4.9、口徑6.1厘米。

外壁飾鬥彩五子嬉戲圖。底書青花雙方框“大明嘉靖年製”楷書款。

現藏故宮博物院。

五彩鳳穿花紋梅瓶

明・嘉靖

高26.8、口徑4.7厘米。

肩部飾倒垂雲頭紋，腹部繪鳳穿花紋。

現藏故宮博物院。

五彩纏枝花紋梅瓶

明・嘉靖

高25.4、口徑5.7厘米。

器身飾青花五彩串珠瓔珞紋、寶相花紋和捲草紋等。

現藏故宮博物院。

五彩團龍紋罐

明·嘉靖

高37.4、口徑21.8厘米。

頸部繪折枝花紋，肩飾蕉葉紋，腹部繪海水團龍紋，下腹部繪蕉葉紋及海水紋。底書青花雙圈“大明嘉靖年製”楷書款。

現藏上海博物館。

五彩雲鶴紋罐

明·嘉靖

高19.3、口徑13.2厘米。

腹部繪仙鶴彩雲，上下分別繪變形蓮瓣紋及變形蕉葉紋一周。底書青花“大明嘉靖年製”楷書款。

現藏故宮博物院。

五彩魚藻紋蓋罐

明・嘉靖

北京朝陽區出土。

高46、口徑19.8厘米。

肩飾蓮瓣紋，腹部繪荷塘、游魚、水藻等紋飾，脛部繪蕉葉紋。底書青花“大明嘉靖年製”楷書款。

現藏中國國家博物館。

五彩海馬紋蓋罐（右圖）

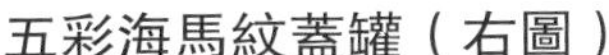

明・嘉靖

高18、口徑8.5厘米。

罐身腹部繪四匹天馬，上繪彩雲，下繪海水。底書青花雙圈"大明嘉靖年製"楷書款。

現藏故宮博物院。

五彩人物圖蓋罐

明・嘉靖

高43.5、口徑17.6厘米。

腹部主題紋飾爲"琴棋書畫"人物圖。

現藏北京藝術博物館。

五彩鳳凰形水注

明·嘉靖

高22厘米。

器作鳳凰形。器身繪鳳翼和鳳尾。

現藏土耳其伊斯坦布爾托布卡博物館。

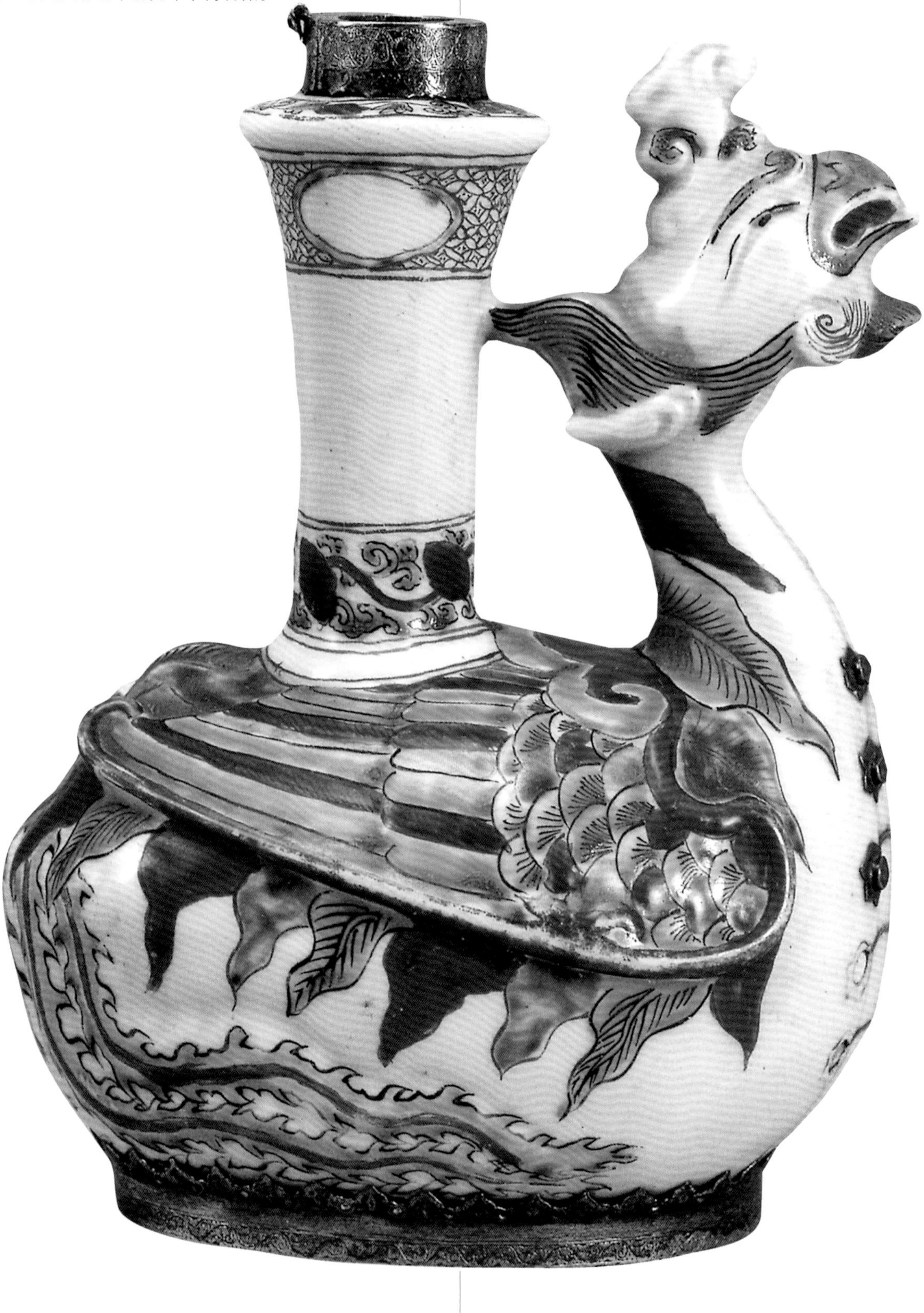

五彩開光嬰戲紋方斗杯

明·嘉靖

高6.2、口邊長11.7厘米。

外壁四面開光内繪四組嬰戲圖，杯心青花方框内書“壽”字。底書青花“大明嘉靖年製”楷書款。

現藏故宫博物院。

五彩龍紋方斗杯

明·嘉靖

高7.1、口徑12.7厘米。

外壁四面繪靈芝龍紋。底書青花雙行“大明嘉靖年製”楷書款。

現藏上海博物館。

五彩纏枝菊花紋碗

明·嘉靖

高11.6、口徑27.6厘米。

碗口沿繪花卉紋，内外壁均繪纏枝菊花紋。

現藏日本東京國立博物館。

五彩纏枝蓮紋碗

明·嘉靖

高6.5、口徑12.2厘米。

碗心繪折枝花卉，外壁繪八朵纏枝蓮花。底書青花雙圈“萬福攸同”楷書款。

現藏故宫博物院。

五彩龍紋盤

明・嘉靖

北京朝陽區出土。

高3.8、口徑19.6厘米。

盤心繪海水雲龍紋。底書紅彩款“平遥府嘉靖丙申歲造”。

現藏首都博物館。

紅綠彩雲龍紋蓋罐

明・嘉靖

高15.6、口徑5厘米。

器腹繪紅彩四龍戲珠。底書青花“大明嘉靖年製”楷書款。

現藏故宫博物院。

紅綠彩纏枝蓮紋瓶

明・嘉靖

高28.3、口徑4.9厘米。

肩、脛部飾變形蓮瓣紋，腹部上下繪兩組纏枝蓮紋。

現藏上海博物館。

礬紅地金彩孔雀牡丹紋執壺

明・嘉靖

高24.6厘米。

腹部桃形開光內繪金彩孔雀牡丹紋。底書“富貴佳器”款。

現藏土耳其伊斯坦布爾托布卡博物館。

礬紅地描金花鳥紋執壺（右圖）

明・嘉靖

高20.1、口徑4.4厘米。

執壺有斗笠形蓋，兩側頸腹間分別有細長彎曲的長流和執手相對。頸部飾蕉葉紋一周，腹部兩側桃形開光内繪孔雀牡丹圖。

現藏上海博物館。

礬紅地金彩花卉紋執壺

明・嘉靖

高27厘米。

口沿下繪蕉葉紋，腹部桃形開光内繪金彩花卉紋，圈足繪吉祥圖案。

現藏上海博物館。

礬紅地金彩透雕花鳥紋執壺（右圖）

明・嘉靖

高28.7厘米。

犬狀鈕蓋。腹部桃形開光内鏤雕花鳥紋，紋飾飾金彩。

現藏日本東京五島美術館。

黄釉青花葫蘆瓶

明・嘉靖

高23厘米。

蓋上繪三朵靈芝雲，上下腹部繪纏枝蓮花，中腰繪梅花。底書青花“大明嘉靖年製”楷書款。

現藏山東省泰安市博物館。

黃釉紅彩纏枝蓮紋葫蘆瓶

明·嘉靖

高45.1厘米。

上下腹部均繪纏枝蓮花。

現藏故宮博物院。

黃釉紅彩雲龍紋罐

明・嘉靖

高27厘米。

罐蓋繪雲龍紋，罐身繪龍紋，周圍襯以祥雲、波濤和靈芝等。底書“大明嘉靖年製”款。

現藏日本大阪市立東洋陶瓷美術館。

黄釉緑彩碗

明·嘉靖

高5.6、口徑12.4厘米。

碗外壁黄釉上刻填緑彩折枝花果、山石和喜鵲紋等。

足内書青花“大明嘉靖年製”楷書款。

現藏故宫博物院。

黄釉緑彩人物紋碗

明·嘉靖

高7.9、口徑17、底徑6.8厘米。

外壁繪人物圖案。底書“大明嘉靖年製”款。

現藏日本東京國立博物館。

素三彩龍紋綉墩

明・嘉靖

高34、口徑22、底徑22.5厘米。

綉墩呈鼓式。墩面繪雙龍荷花紋，腹部上下各飾一周回紋和鼓釘紋，中部繪雙龍穿蓮花紋。

現藏故宮博物院。

綠地金彩牡丹紋碗

明・嘉靖

口徑15.7厘米。

外壁繪金彩牡丹紋。

現藏土耳其伊斯坦布爾托布卡博物館。

黄釉暗花鳳紋罐

明・嘉靖

高28.5、口徑10.6、足徑14.9厘米。

罐外壁暗刻花紋，頸部爲四雲朵，肩部及腹部爲鳳鳥紋。

現藏故宫博物院。

回青釉盤

明・嘉靖

高3.5、口徑19.5厘米。

撇口、淺腹、圈足。通體施回青釉。底書青花雙圈“大明嘉靖年製”楷書款。

現藏首都博物館。

霽藍釉碗

明・嘉靖

高7.8、口徑18.6厘米。

撇口、深腹、圈足。通體施霽藍釉。底書青花雙圈“大明嘉靖年製”楷書款。

現藏故宮博物院。

外冬青内回青釉劃花雲龍紋碗

明・嘉靖

高6、口徑20厘米。

外施冬青釉，内施回青釉，内壁暗劃二龍戲珠紋。

現藏故宮博物院。

藍釉堆花三足爐

明・嘉靖

高8.9、口徑8.4厘米。

爐形似鼎。内施白釉，外施藍釉。腹壁堆貼靈芝、珊瑚、梵文裝飾紋。

現藏廣東省博物館。

綠釉碗
明・嘉靖
高5.6、口徑17.8厘米。
敞口、弧壁、圈足。通體施綠釉。底書青花“大明嘉靖年製”楷書款。
現藏故宮博物院。

礬紅釉梨形壺
明・嘉靖
高15厘米。
傘形蓋，寶珠鈕，彎流，曲柄。底書青花雙圈“大明嘉靖年製”楷書款。
現藏故宮博物院。

醬釉碗

明・嘉靖

高6.3、口徑12.4厘米。

敞口、深腹、圈足。通體施醬釉。底書青花雙圈“大明嘉靖年製”楷書款。

現藏故宮博物院。

青花團龍紋提梁壺

明・隆慶

高30、口徑10.5厘米。

肩部飾兩條行龍，腹部紋飾爲五組團龍靈芝及暗八仙等吉祥圖案。底書青花雙圈“大明隆慶年造”楷書款。

現藏故宮博物院。

青花雲龍紋盤

明・隆慶
北京安定門外出土。
高3.6、口徑20.6厘米。
盤心繪正面團龍紋，外壁繪二龍戲珠。底書青花雙圈“大明隆慶年造”楷書款。
現藏首都博物館。

青花魚藻紋盤

明・隆慶
北京水源一廠出土。
高3.5、口徑20.4厘米。
盤心及外壁均繪魚藻紋，底書青花雙圈“大明隆慶年造”楷書款。
現藏首都博物館。

青花嫦娥奔月紋八角盤

明・隆慶

高3.6、口徑13.1厘米。

盤呈八角形。外壁繪折枝花和如意雲頭紋，盤心繪嫦娥與玉兔。底書青花雙方框“隆慶年造”楷書款。

現藏廣東省博物館。

青花仕女撫嬰圖長方盒

明・隆慶

高16、長27.4厘米。

盒蓋面上錦紋地開光内繪撫嬰圖，蓋四邊繪雙龍戲珠紋，盒身四壁繪撫嬰圖。底書青花“大明隆慶年造”楷書款。

現藏天津博物館。

青花黃地龍戲珠紋碗

明・隆慶

高4.8、口徑14.3厘米。

外壁飾雙龍戲珠紋。碗底有青花雙圈“大明隆慶年造”楷書款。

現藏南京博物院。

青花嬰戲蓮紋碗

明・隆慶

高9、口徑15厘米。

碗心繪朵花紋，外口沿繪捲草紋，腹部繪四組團形嬰戲蓮紋，足部繪回紋。底書青花長方框“大明宣德年製”楷書仿款。

現藏故宮博物院。

五彩蓮池水鳥紋缸

明・隆慶

高35.6、口徑53.3厘米。

缸口沿下繪捲草紋，外壁爲蓮池水鳥圖，近足部繪蓮瓣紋。口沿内横書青花“大明隆慶年造”楷書款。

現藏日本東京島山紀念館。

青花纏枝番蓮紋梅瓶

明・萬曆

北京西郊董四墓村出土。
高45、口徑7、底徑12厘米。
肩部及脛部飾變形蓮瓣紋，腹部繪纏枝番蓮紋。肩部書青花“大明萬曆年製”楷書款。
現藏首都博物館。

青花人物紋蓋瓶

明・萬曆

廣西桂林市十一代靖江王莫夫人墓出土。

高64厘米。

腹部主題紋飾爲三位煉丹道士，周圍襯以松、竹、梅等圖案。

現藏廣西壯族自治區桂林博物館。

青花魚藻紋蒜頭瓶

明・萬曆

高37.5、口徑7.7、足徑18厘米。

蒜頭式直口下繪變形蓮瓣，細長頸部繪折枝梅花，肩部繪捲草紋，圓腹飾魚藻紋，圈足繪纏枝紋。口沿處横書青花“大明萬曆年製”楷書款。

現藏故宫博物院。

青花花卉紋活環瓶

明・萬曆

高37.1厘米。

細長頸，頸上有對稱鏤空如意雲銜活環海棠圈耳。瓶身繪捲草紋、折枝花卉紋和魚鱗錦地紋等。口沿橫書“大明萬曆年製”楷書款。

現藏南京博物院。

青花鳳獸穿牡丹紋葫蘆瓶

明・萬曆

高44.5厘米。

上腹繪鳳穿牡丹紋，腰部飾捲草紋，下腹繪獸穿牡丹紋。

現藏首都博物館。

青花异獸紋葵瓣式觚（左圖）

明·萬曆

高76.5厘米。

頸上部繪洞石、花卉及草蟲紋，中部凸起處繪二龍穿花，下部繪纏枝靈芝托八寶紋。腹上部繪回紋，下部繪朵花紋，腹部八面均繪雙异獸及松樹朵雲紋。近底部繪折枝花和朵雲紋。口沿下横書青花“大明萬曆年製”楷書款。

現藏故宫博物院。

青花龍鳳紋出戟尊

明·萬曆

高21.9、口徑15.7厘米。

頸部繪洞石、折枝花卉紋，腹部一面繪雲龍紋，另一面繪雲鳳紋，足上繪十字雲，近底部繪朵雲紋一周。底書青花雙圈“大明萬曆年製”楷書款。

現藏故宫博物院。

青花蓮花雜寶紋蓋罐

明・萬曆

高53.5、口徑22.7厘米。

器口與蓋沿作八邊形。蓋頂部螺紋内突出雲紋和折枝花卉紋飾，肩部爲牡丹、番蓮和番菊，腹部紋飾爲在龜背狀紋内突出番蓮、番菊及芙蓉，足部爲變形蓮瓣一周。底書青花“萬曆丁亥年造黔府應用”款。

現藏貴州省博物館。

青花仕女紋碗

明·萬曆

高8.2、口徑22.1厘米。

腹部繪仕女下棋、賞畫等圖案，間以山石和花草紋。足內書青花雙圈“大明萬曆年製”楷書款。

現藏故宮博物院。

青花花草紋蓮花形碗

明·萬曆

高12.8、口徑35.5厘米。

碗呈蓮花形，内外壁繪花草紋飾。

現藏日本東京國立博物館。

青花地白花果紋盤

明・萬曆

高5.5、口徑31.5厘米。

盤心繪四株折枝牡丹花，內壁繪折枝花果八組，外壁繪纏枝蓮花紋。足內書青花雙圈“大明萬曆年製”楷書款。現藏故宮博物院。

青花海水异獸紋盤

明·萬曆

高5、口徑27.5厘米。

外壁繪飛馬紋一周，盤心繪海水异獸紋。底書青花雙圈“大明萬曆年製”楷書款。

現藏故宫博物院。

青花菱口花鳥紋盤

明·萬曆

江西南城縣明益宣王朱翊鈏墓出土。

高6.6、口徑31.3厘米。

外壁飾八蓮瓣開光，内繪折枝花。内壁亦飾八蓮瓣開光，内繪向日葵、葫蘆和芭蕉等，内底開光内繪竹石花卉和小鳥。

現藏江西省博物館。

青花蛙紋盤

明·萬曆

高5.7、口徑36.8厘米。

外壁飾八蓮瓣開光，窗口繪圓點紋。內壁亦飾八開光，內繪蜜蜂、折枝花果和書卷等。內底爲八瓣花形開光，內繪蓮池青蛙圖。

現藏江西省博物館。

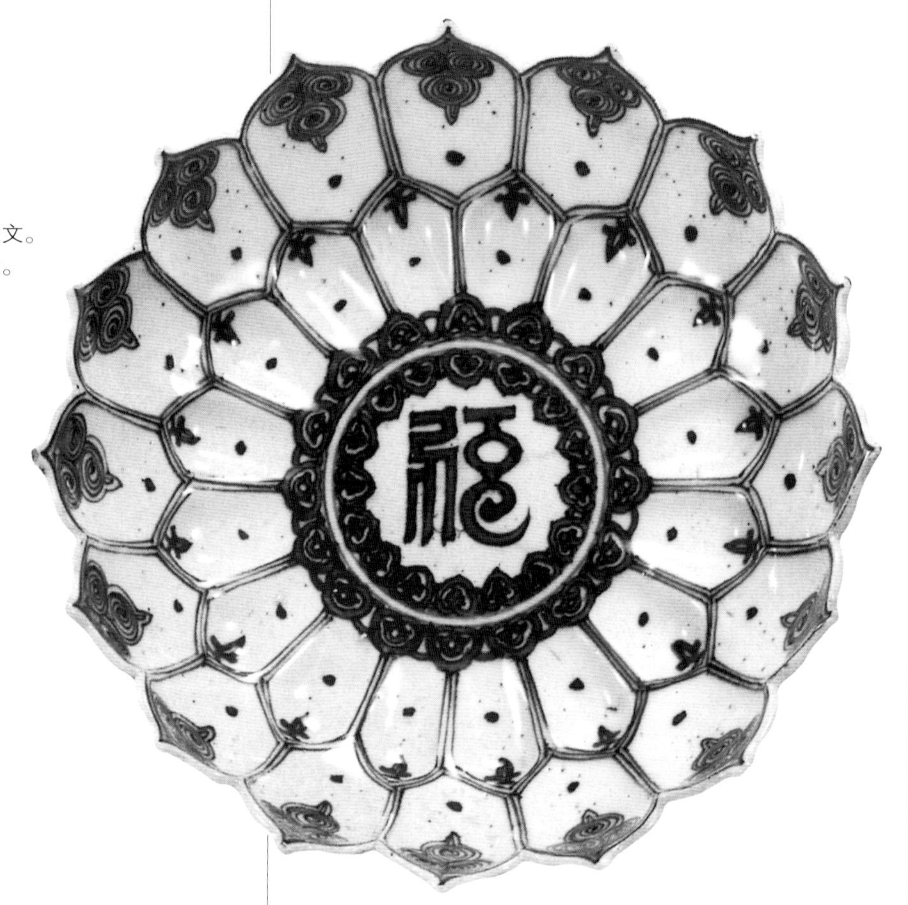

青花蓮瓣形梵文盤

明・萬曆

高5.5、口徑18.8厘米。

盤心環飾兩圈如意雲紋，中心書梵文。

底書青花“大明萬曆年製”楷書款。

現藏首都博物館。

青花錦地開光折枝花紋套盒

明・萬曆

高25.3厘米。

蓋面方形開光內繪竹雀梅花紋，盒身開光內繪折枝花紋。

現藏故宮博物院。

青花雲鳳紋缸

明・萬曆

高49.5、口徑54厘米。

腹部繪兩隻比翼雙飛的鳳凰，周圍襯以祥雲。口沿下横書青花“大明萬曆年製”楷書款。

現藏首都博物館。

鬥彩八寶紋碗

明・萬曆

高8.7、口徑16.5厘米。

碗心繪折枝靈芝，外壁繪蓮花托八寶，近足部飾蓮瓣紋。底書青花雙方框“大明萬曆年製”楷書款。

現藏故宫博物院。

五彩鏤空雲鳳紋瓶

明・萬曆

高49.5、口徑15厘米。

此器采用鏤雕與彩繪結合的裝飾手法。頸前後各書青花“壽”字，下繪錦地如意雲頭及雜寶，腹部雕鳳鳥。

現藏故宮博物院。

五彩鴛鴦蓮花紋蒜頭瓶

明・萬曆

高54.5、口徑8.8厘米。

器身繪通景洞石花草、蓮池鴛鴦圖案。口沿外横書“大明萬曆年製”楷書款。

現藏故宫博物院。

五彩鳳紋葫蘆形壁瓶

明・萬曆

高30.5、口徑5厘米。

器呈半個葫蘆形，便于挂于墻壁等處觀賞。上腹繪雙鳳齊飛，下腹繪兩鳳相鬥。瓶背面書青花“大明萬曆年製”竪款。

現藏天津博物館。

五彩龍鳳紋觚

明・萬曆

高74、口徑26.7厘米。

腹部爲八邊形，頸部和腹下爲圓形。器身滿繪龍鳳紋、牡丹紋和海水紋等。口沿下横書“大明萬曆年製”楷書款。

現藏日本東京出光美術館。

五彩雲龍花鳥紋花觚

明・萬曆

高58、口徑17.8厘米。

瓶身滿飾五彩青花圖案。

現藏故宫博物院。

五彩雲龍紋觚

明·萬曆

高41、口徑19厘米。

頸部繪纏枝蓮紋，腹部四開光内繪雲龍紋，腹下繪折枝花卉。底書青花“大明萬曆年製”楷書款。

現藏故宫博物院。

五彩雲龍紋蓋罐

明・萬曆

高11.1、口徑8.7厘米。

蓋面繪雲龍紋，蓋沿繪回紋，罐身繪如意紋、雲龍紋及纏枝紋。底書青花雙圈“大明萬曆年製”楷書款。現藏上海博物館。

五彩龍鳳提梁壺

明・萬曆

高22.3、口徑5.5厘米。

腹部呈八瓣瓜棱形，每瓣中分別繪一龍一鳳。底部款識已模糊不清。現藏上海博物館。

五彩獸面鳳紋鼎

明・萬曆
陝西綏德縣清墓出土。
高12.8厘米。
沿口立雙耳，鼎下接四柱足。器身飾五彩獸面紋。
內壁施白釉。
現藏陝西省歷史博物館。

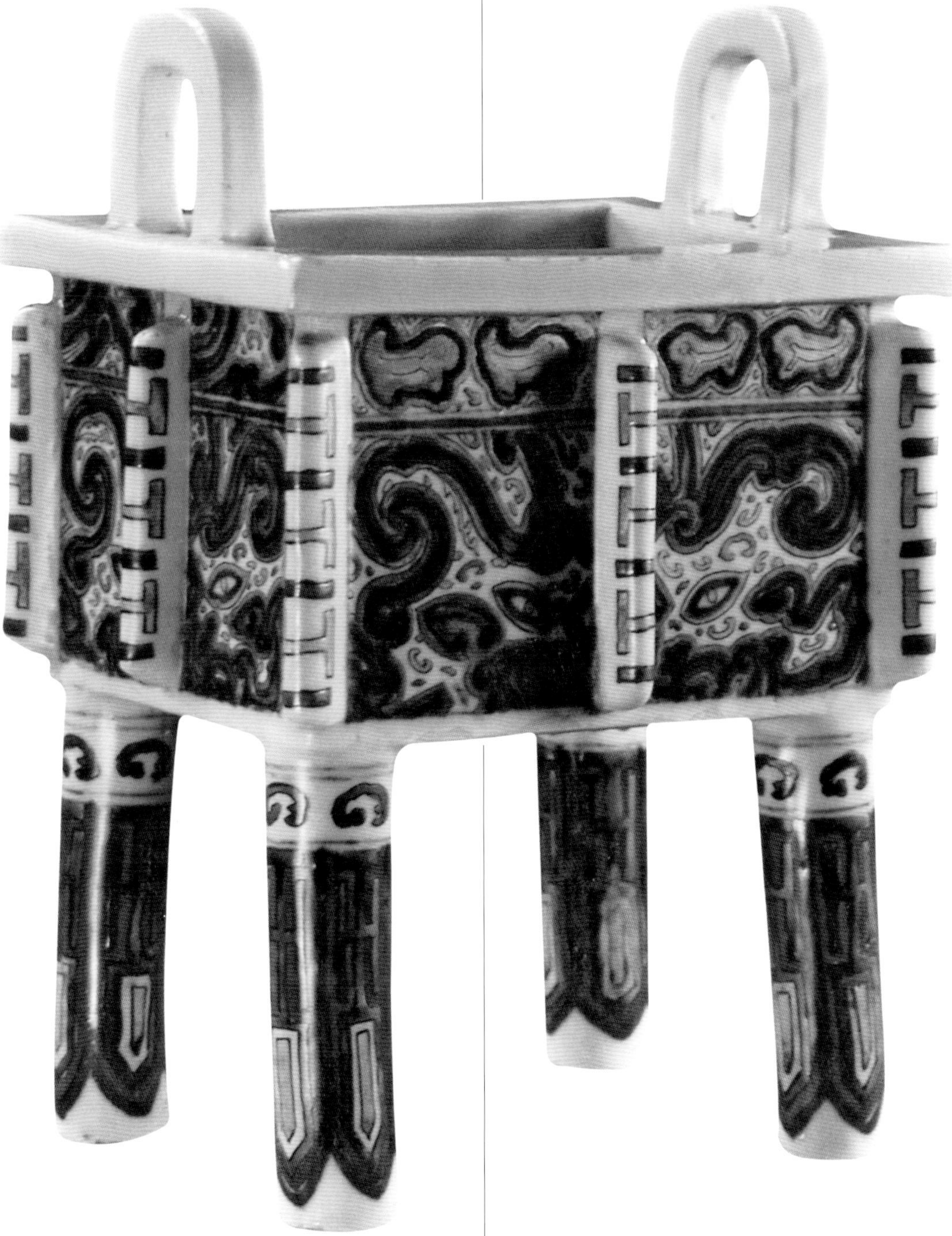

五彩龍穿花紋盤

明·萬曆

高7.2、口徑47厘米。

盤心繪花叢中的戲珠雙龍，內壁和外壁均繪四行龍穿花相逐。

現藏故宮博物院。

五彩龍鳳紋盤

明·萬曆

高4.3、口徑23.8厘米。

盤心繪一龍一鳳騰于雲間，内壁繪龍鳳戲珠，外壁繪纏枝蓮花紋。底書青花“大明萬曆年製”楷書款。

現藏故宫博物院。

五彩五穀豐登圖盤

明·萬曆

高4.1、口徑28.2厘米。

盤心繪雙龍架，架上懸挂各式燈籠。内壁繪纏枝蓮，外壁繪燈籠及八寶紋飾。底書青花雙圈“大明萬曆年製”楷書款。

現藏故宫博物院。

五彩亭臺人物紋盤

明・萬曆

高4.5、口徑31.5厘米。

盤心飾亭臺人物圖，内壁繪纏枝蓮花八朵，外壁繪雜寶圖四組。底書青花雙圈“大明萬曆年製”楷書款。

現藏故宫博物院。

五彩仙人祝壽圖盤

明・萬曆

高2.9、口徑18.9厘米。

盤心繪仙人祝壽圖，内壁繪纏枝靈芝托八個“壽”字，外壁繪折枝花。底書青花雙圈“大明萬曆年製”楷書款。

現藏故宫博物院。

五彩牡丹紋盤

明・萬曆

口徑38.5厘米。

盤心繪繁密的牡丹紋，內壁繪石榴和荔枝等瑞果，外壁繪纏枝蓮花。

現藏日本大阪市立東洋陶瓷美術館。

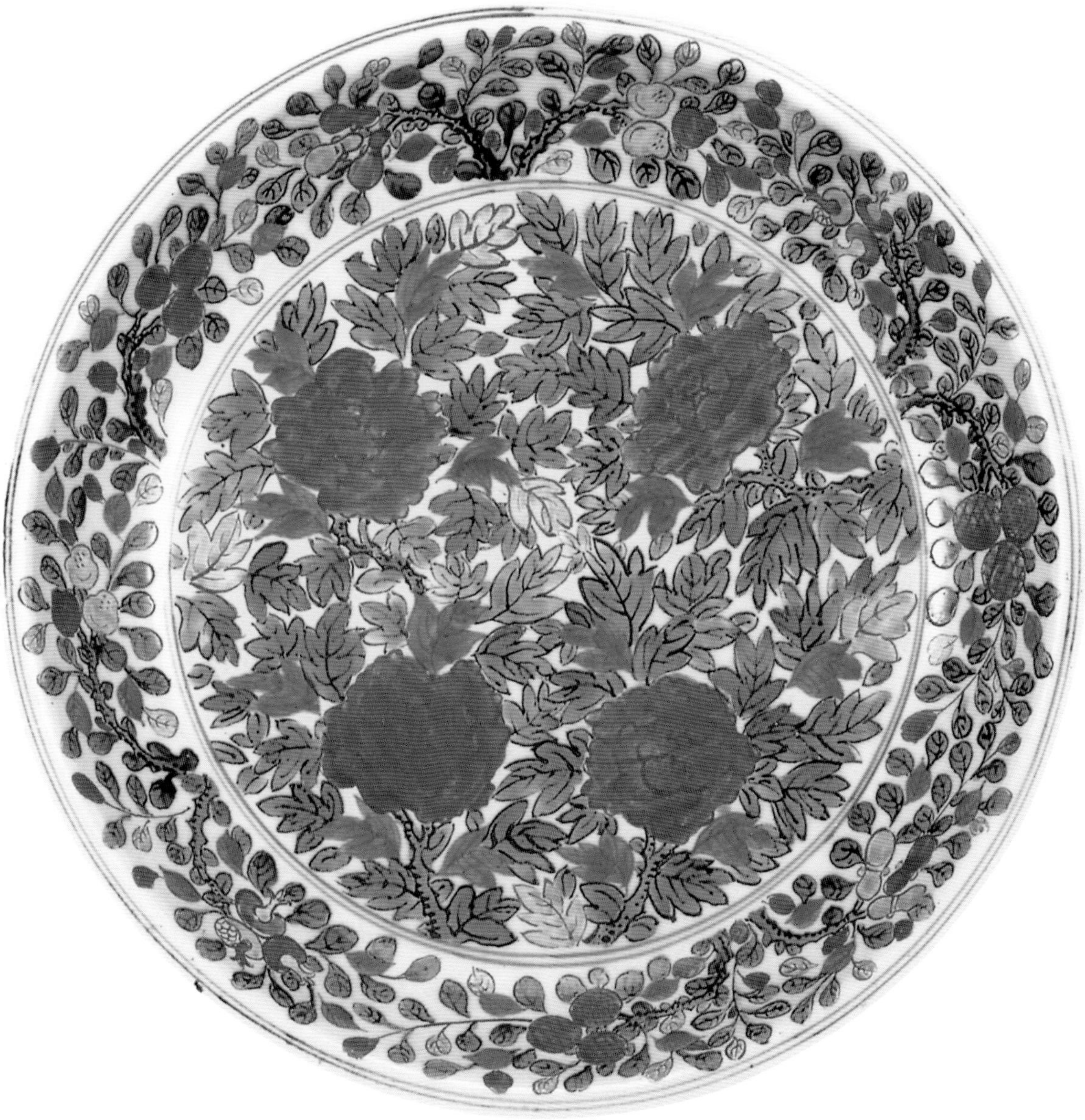

五彩蓮花紋蓋盒

明・萬曆

高11.4、口徑21.3厘米。

盒內有七格，中心呈六曲形。盒蓋鏤空，蓋面飾朵花和水波紋等，蓋邊和盒身各繪行龍四條。底書青花雙圈直行“大明萬曆年製”楷書款。

現藏上海博物館。

五彩龍鳳紋筆盒

明・萬曆

高8.9、長29.9、寬11.1厘米。

盒呈不規則長方形，蓋面飾游龍戲鳳，蓋側面和盒身均繪龍鳳戲珠。底書青花“大明萬曆年製”楷書款。

現藏上海博物館。

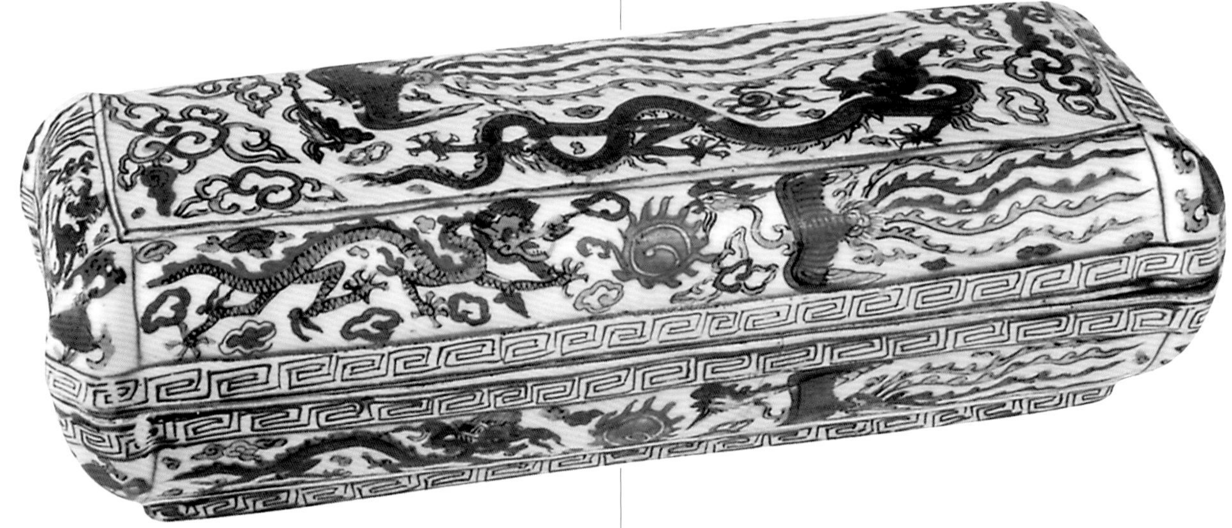

五彩花鳥紋折沿盆

明・萬曆
北京新街口外小西天清墓出土。
高5.2、口徑27.5厘米。
盆沿上錦紋開光內繪花卉，內壁繪纏枝紋，盆心繪花鳥紋。外底書青花雙圈雙行"大明萬曆年製"楷書款。
現藏首都博物館。

五彩龍鳳紋折沿盆

明・萬曆
高8.8、口徑39厘米。
器呈六瓣花形。盆口沿、內壁和內底繪龍鳳紋，外壁飾靈芝花卉紋。底書青花"大明萬曆年製"款。
現藏日本東京國立博物館。

五彩人物紋折沿盆

明・萬曆

北京朝陽區大屯出土。

高9、口徑35厘米。

器呈八方委角形。盆口沿、內壁及內底三層圖案中繪十七幅"羲之愛鵝"圖，外壁繪八寶及折枝花。底書青花"大明萬曆年製"楷書款。

現藏首都博物館。

五彩雙龍紋水丞

明・萬曆

高5、口徑3.4厘米。

器身繪雙龍戲珠紋，襯以祥雲、靈芝、山石、海水等。外底書青花雙圈"大明萬曆年製"楷書款。

現藏故宮博物院。

五彩鳳穿花紋軍持

明·萬曆

高20.4厘米。

圓腹，一側有一乳突狀短流。腹部繪兩組鳳穿花紋。

現藏故宮博物院。

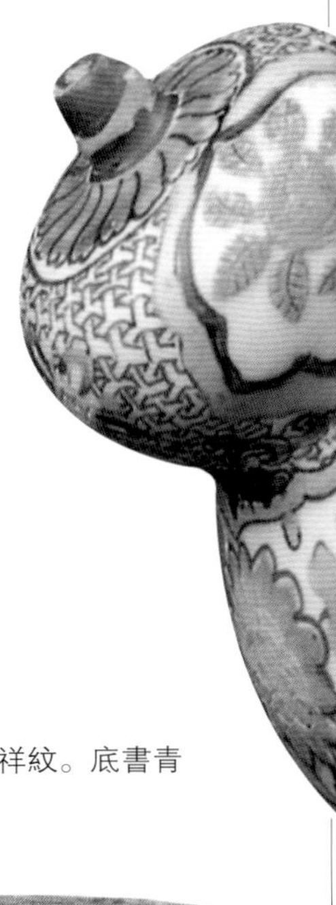

黄釉緑彩雲龍紋蓋罐

明·萬曆

高18.5、口徑9.4厘米。

器身開光内繪雲龍紋，開光外飾八吉祥紋。底書青花“大明萬曆年製”楷書款。

現藏故宮博物院。

黃釉紫彩人物花卉紋尊

明・萬曆

北京昌平區明定陵出土。

高25.6、口徑16厘米。

頸、腹部及圈足兩側各有凸棱，脛、頸部繪山石、花卉等紋飾，腹部繪官員出行圖。底書“大明萬曆年製”款。

現藏北京市定陵博物館。

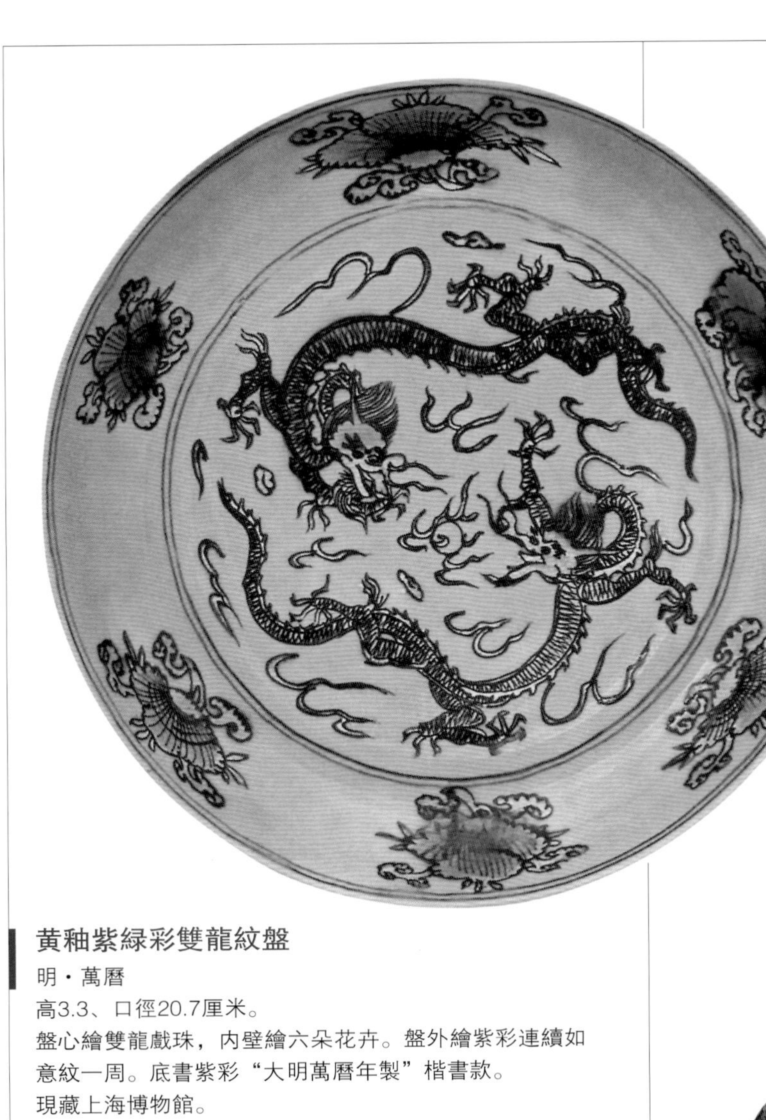

黄釉紫緑彩雙龍紋盤

明・萬曆

高3.3、口徑20.7厘米。

盤心繪雙龍戲珠，内壁繪六朵花卉。盤外繪紫彩連續如意紋一周。底書紫彩“大明萬曆年製”楷書款。

現藏上海博物館。

黄釉紫彩雙耳三足爐（右圖）

明・萬曆

北京昌平區明定陵出土。

高17.6、口徑15.8厘米。

三足由三螭首構成，二螭尾上捲成兩個爐耳，耳内飾透雕靈芝紋。底書青花“大明萬曆年製”楷書款。

現藏北京市定陵博物館。

黄釉紫緑彩龍紋綉墩

明・萬曆

高34.1厘米。

墩面飾花卉紋，墩身飾雲龍紋，上下各飾纏枝紋及鼓釘一周。

現藏上海博物館。

霽藍釉白龍紋三足爐

明·萬曆

高8.5、口徑17厘米。

腹部凸起三條白龍，底書青花雙圈“大明萬曆年製”楷書款。

現藏故宮博物院。

茄皮紫釉暗龍紋碗

明·萬曆

高7.3、口徑14.8厘米。

碗外壁暗刻雙龍戲珠，足部外墻刻回紋一周。底書青花雙圈“大明萬曆年製”楷書款。

現藏故宮博物院。

青花花卉紋出戟觚

明・天啓

高32厘米。

長頸繪洞石花卉；腹部四角出戟，四面繪折枝花卉；頸下及足邊繪火焰紋一周。口沿處書青花“天啓年米石隱製”款。

現藏故宮博物院。

白釉饕餮紋觶

明・萬曆

高12.2、口徑8.3厘米。

通體刻劃饕餮紋和夔龍紋。底書青花雙框“古周饕餮萬曆年製”楷書款。

現藏上海博物館。

青花郊游圖瓶

明・崇禎

高47厘米。

腹部繪主人騎馬率家丁出游場面。

現藏首都博物館。

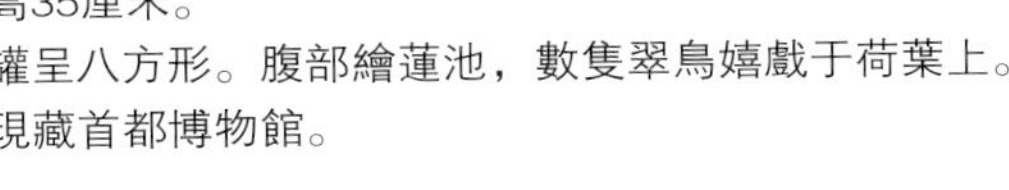

青花蓮池圖八方蓋罐

明・天啓

高35厘米。

罐呈八方形。腹部繪蓮池，數隻翠鳥嬉戲于荷葉上。

現藏首都博物館。

青花五老圖罐

明·崇禎

高23.5、口徑12.6厘米。

腹部繪五個老人，間以山石、樹木、鹿等。底書青花“大明嘉靖年製”楷書仿款。

現藏北京藝術博物館。

青花人物紋净水碗

明・崇禎

高15.3、口徑19.3厘米。

碗外壁書青花隸書“大明國江西道南昌府南昌縣信士商人蕭炳喜助净水碗壹付供奉蕭公順天王御前崇禎拾貳年仲秋月吉立”。

現藏中國國家博物館。

青花松竹梅花鳥紋小缸

明・崇禎

高17.3、口徑22厘米。

缸口沿下繪雲頭紋間以花卉紋，腹部繪松竹、梅花、小鳥等圖案。

現藏故宫博物院。

素三彩龍鳳牡丹紋碗

明・崇禎

高16.6、口徑35.8厘米。

内壁飾四鳳穿牡丹，外壁飾二龍戲珠。底書紅彩款，殘存“皇明崇禎十一年臘月初八日吉時……福有攸歸”，崇禎十一年爲公元1638年。

現藏故宫博物院。

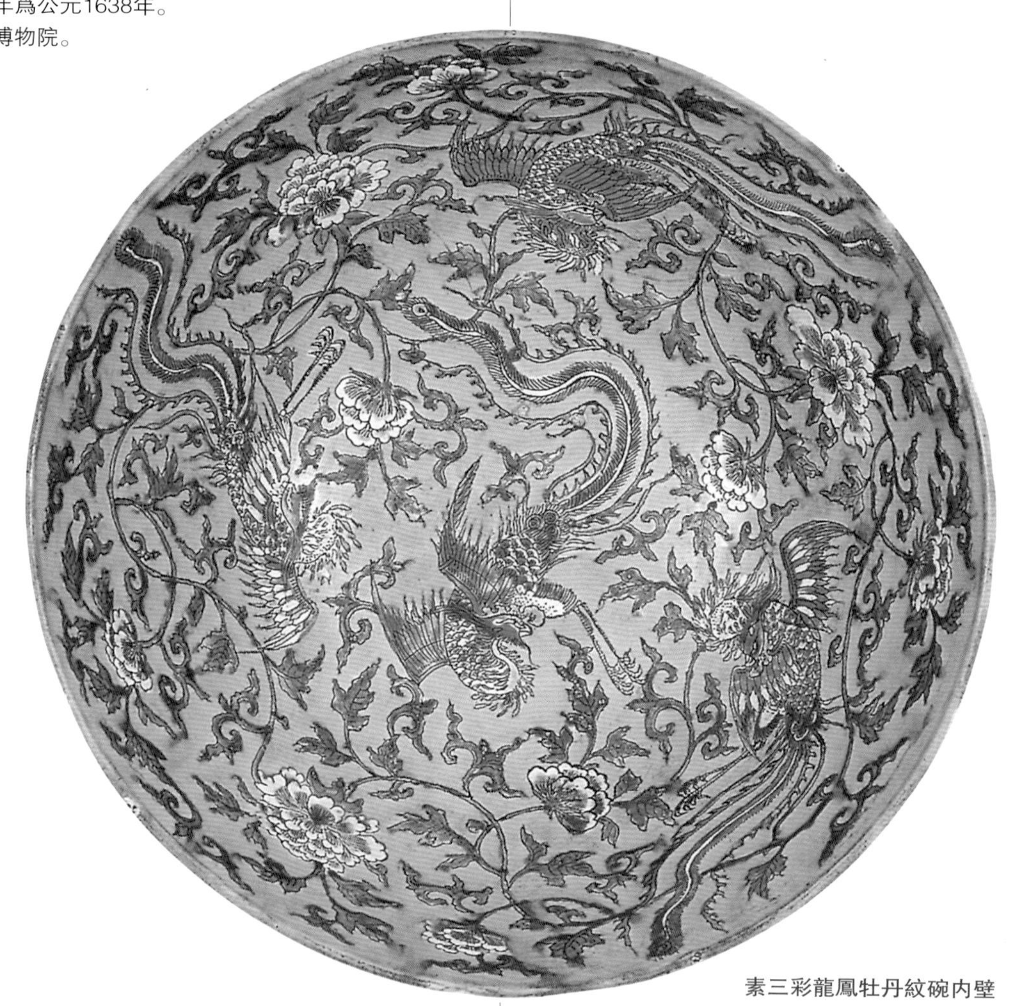

素三彩龍鳳牡丹紋碗内壁

五彩雲龍紋盤

明・崇禎
高5.6、口徑26.3厘米。
盤心繪海水雲龍紋，外壁繪雙龍戲珠。底有“甲戌孟春趙府造用”款，甲戌爲明崇禎七年（公元1634年）。
現藏上海博物館。

紅綠彩牡丹紋罐

明・崇禎
高23.2、口徑9.6厘米。
罐身前後繪生于山石旁的大株牡丹花。
現藏日本東京國立博物館。

德化窑白釉刻玉蘭紋尊（右圖）

明・崇禎

高33.2、口徑12.3厘米。

外壁暗刻玉蘭花枝。

現藏故宮博物院。

德化窑白釉象耳弦紋尊

明・崇禎

高26.2、口徑11.4、足徑10.4厘米。

頸部置對稱雙象耳。

現藏故宮博物院。

德化窑白釉凸花出戟鼎式爐

明・崇禎

高14.5厘米。

造型仿古銅器。正方形口，兩側出沿上各塑竪冠耳，腹下承四足，爐身印雙夔紋，四足飾印花紋飾。

現藏故宫博物院。

德化窑白釉螭耳三足爐

明・崇禎

高8.1、口徑10.3厘米。

造型仿古銅器。爐身兩側置對稱螭耳，下承三獸足。肩部飾朵花紋一周，圈足外墻飾蕉葉紋一周。

現藏故宫博物院。

德化窑白釉雙螭壺

明·崇禎
高16、口徑6厘米。
花蕾形鈕，直筒形壺身，壺兩側堆塑螭龍兩條。
現藏上海博物館。

德化窑白釉方形執壺

明・崇禎

高12.8、口邊長6.5厘米。

壺蓋上爲一蓮珠鈕，鈕下爲半浮雕的蓮葉。

現藏中國國家博物館。

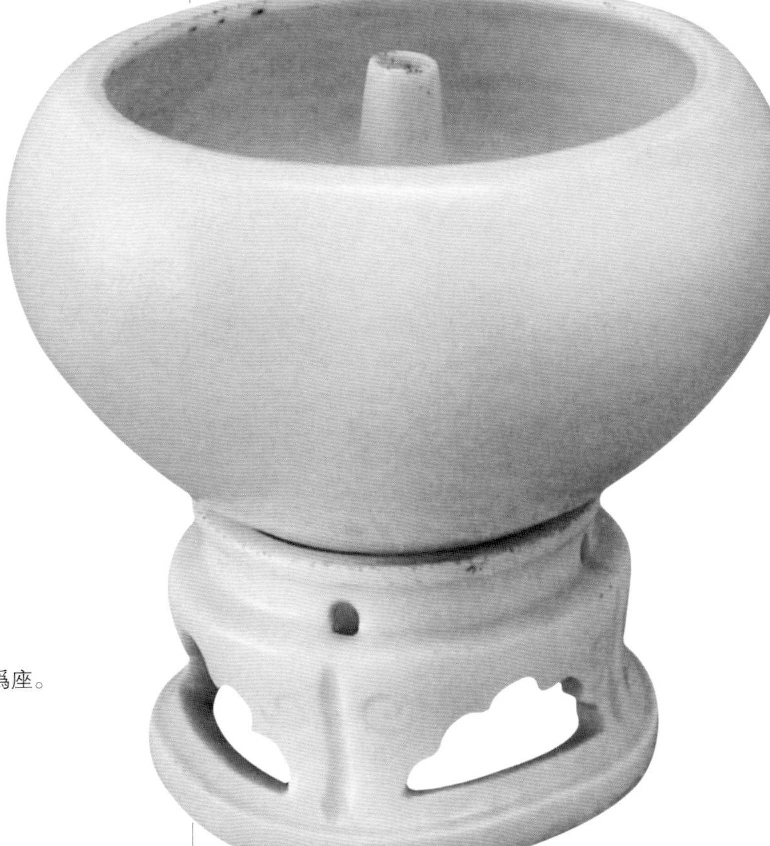

德化窑白釉燭臺

明・崇禎

高13、口徑10.5厘米。

器分兩節組合，上節爲熔燭的盛器，下節爲座。

現藏福建博物院。

德化窑白釉犀角杯

明・崇禎

高9.1、口長15.1厘米。

造型仿犀角杯。杯外壁貼塑人物、龍、虎等紋飾。

現藏浙江省寧波市文物管理委員會。

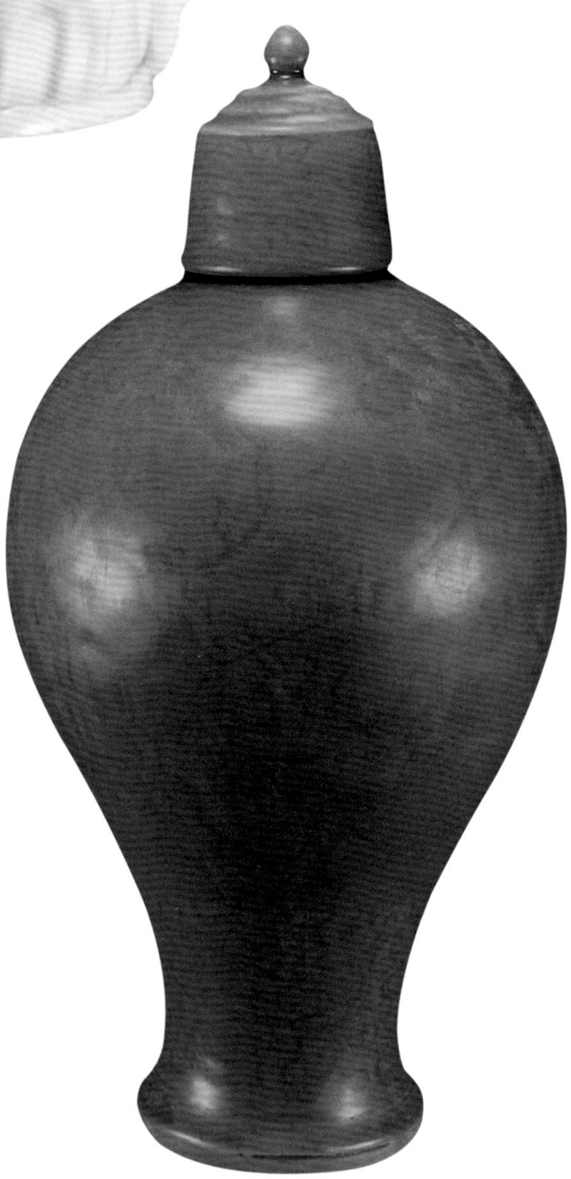

龍泉窑青釉刻花帶蓋梅瓶（右圖）

明・崇禎

高44.4厘米。

瓶口外刻花卉，肩部繪如意雲頭紋，瓶身飾碧桃、竹子兩組，下部刻劃纏枝靈芝四朵。蓋面繪花瓣紋，邊繪花卉紋。

現藏故宮博物院。

龍泉窑青釉印花蓋罐（右圖）

明・崇禎
高28.6、口徑12.7厘米。
傘形蓋，寶珠鈕，蓋面印折枝蓮花。頸部及圈足外部繪菱形雲朵，肩、脛部飾纏枝蓮紋。
現藏故宫博物院。

龍泉窑青釉執壺

明・崇禎
高30厘米。
玉壺春瓶式壺身，一側有曲形長柄，另一側爲彎流。
現藏故宫博物院。